デジタル・ファシズム
日本の資産と主権が消える

堤 未果 Tsutsumi Mika

NHK出版新書
655

プロローグ

英国のSF作家アーサー・C・クラークは、こんな言葉を残している。

「技術（テクノロジー）はある地点から、専門家以外には魔法と区別がつかなくなる」

一般大衆が理解できていないことを理解している少数の人々が、大衆に対して支配的な力を手にしてしまう、ということだ。

例えば今、私たちが放り込まれている、高速で進化する〈デジタル〉という魔法のように。

それはすでに日常の隅々に入りこみ、必要な時に必要な情報が差し出される環境は快適だ。自動運転車にゲノム医療、ビッグデータにブロックチェーン、人工知能にキャッシュレスにヴァーチャルリアリティ。子供の頃に読んだSF小説のようで、ワクワクせずにはいられない。

2020年に新型コロナウイルスのパンデミックが起きた時も、感染症拡大防止のためにいち早くデジタル技術を利用した国々に、世界の注目が集まった。

国中に張り巡らせたデジタル監視網で個人の行動をきめ細かく追跡し、移動制限や都市封鎖で感染症を抑え込んだ中国や、市民ハッカーと政府が協力し、各薬局のマスク在庫状況が一目でわかるデジタル地図を公開することで、パニックを防いだ台湾。

平時ならば問題になる政府の行動追跡や個人データの一括管理は、コロナ禍という緊急事態下で、静かに受け入れられていた。

その頭の回転の速さと穏やかな語り口で瞬く間に有名になった、台湾の若きデジタル担当大臣オードリー・タン氏は、社会がデジタル化することによって、民主主義が深まるという。

人々は共感し合えるようになり、オンラインで対話を重ねながら、同じ一つの問題を、解決できるようになるはずだ、と。

だが彼女はそこに、ある一つの条件をつけた。

〈ただし、決して権力を集中させてはいけない〉

残念ながらその懸念は、日本で2020年9月に組閣された新政権の下で、現実になっていく。

菅義偉内閣総理大臣は経済成長の目玉政策として「日本全国デジタル化（Society5.0）計画」を打ち出した。

総理自らがトップに立つ「デジタル庁」の創設や、教育や医療をはじめ、街ごと全て5Gでつなぐ「スーパーシティ」、スマホに直接振り込まれるキャッシュレス給与に、グーグルなどと提携したオンライン教育。デジタル技術が無駄をなくし、必要な人に必要な支援が行き渡ることで、少子高齢化や地方の過疎化、貧富の格差など、今日本が抱えるいくつもの課題が、解決されてゆくという。

だが本当にそうだろうか？

お金の流れと人事と歴史の三つを見れば、今本当に起きていることの、全体像が浮かび上がってくる。

この間コロナやオリンピックの陰で、国民の大半が知らぬ間に国会を通過した法律の数々は、どれも危険極まりない、新自由主義政策のオンパレードだ。

危機意識の薄いデジタル改革担当大臣は、「誰一人取り残さない社会を作る」などと言いながら、日本初のデジタル庁を、早くも壮絶な米中デジタル戦争に丸腰で差し出そうとしている。このまま何もしなければ、私たち日本国民は、文字通り「誰一人取り残さず」搾取されてしまうだろう。

こうしている間にも、国会では親中派と親米派の議員たちが、それぞれ忖度《そんたく》を競い合うかのように、日本の貴重な資産を平気で米中に売り渡している。

小泉政権時代から有識者会議を率いてきた〈某政商〉は、自ら提案した我田引水法案によって所属企業が前年比１００％の利益増と、ますます順風満帆だ。

セキュリティ対策が手薄なせいで、自衛隊や防衛省は常に某国からのサイバー攻撃リスクに晒《さら》され、医療や年金、銀行口座、行動記録に購買履歴など、国民の個人情報を守っていた地方自治体の要塞は、もはや崩される寸前だ。

途上国で巨額の利益を上げ、コロナ禍で再び火がついた教育ビジネスは、先進国日本の子供たちに、次の狙いを定めている。

「今だけ金だけ自分だけ」の強欲資本主義が、デジタル化によって、いよいよ最終ステージに入るのが見えるだろうか。

デジタルは「ファシズム」と組み合わさった時、最もその獰猛《どうもう》さを発揮する。

一つはっきりしているのは、私たちが今この改革を、よく理解しないままに急《せ》かされていることだ。

歴史を振り返ると、一部の専門家しか理解していない「情報の非対称性」が、多くの人間の運命を変えてしまった出来事は少なくない。原子力や未知のワクチン、遺伝子操作に金融工学、複雑で呆れるほど長い、国際条約の数々。

そして今、急速にピッチを上げる〈デジタル改革〉が、世界に追いつけ後れをとるなと、牙を隠してやってくる。

わかりやすい暴力を使われるより、便利な暮らしと引きかえにいつの間にか選択肢を狭められてゆく方が、ずっとずっと恐ろしい。

無法地帯の仮想空間から全てを動かすアメリカの巨大ＩＴ企業や、それに対抗し新通貨でプラットフォーマーの座を狙う中国、世界統一政府を目指すエリート集団と、目先の利権に目が眩《くら》んだ政商たちによって、今まさに日本という国の〈心臓部〉が、奪われようとしているのだ。

テクノロジーの華やかさとスピードの裏でこの国に迫りくる危機と、同じ敵からかけがえのない宝物を守るために、動き出した世界の仲間たちから手渡された勇気と知恵を、心ある日本の人々に、一人でも多く伝えたいと思い、この本を書く決心をした。

クラークの法則は現代にも生きている。
だが今ならまだ間に合う。
大きく息を吸い込んで、私たちの目を眩ませるこの魔法を、一つずつ解いてゆこう。
失望する必要はない。
法則とはいつも、後から来た誰かによって、破られるためにあるからだ。

デジタル・ファシズム――日本の資産と主権が消える　目次

第6章

第Ⅰ部　政府が狙われる

夢のスーパーシティ？
AIに5G ビッグデータが つなぐ
最先端の未来都市なんです
有識者代表T・H
いつの間にか企業が運営してる…
X社
張り紙で告知しました～
X社のサービスを入れます
聞いてない！
←住民たち

第1章　最高権力と利権の館「デジタル庁」

3・11と「日本デジタル化計画」

２０２０年12月25日。

国会閉会中のクリスマスに、ひっそりと閣議決定された「デジタル・ガバメント実行計画」をご存知だろうか？

２０１８年1月に政府の「eガバメント閣僚会議」で策定され、２０１９年に成立した「デジタルファースト法」（行政手続きを原則としてデジタル化する法律）に後押しされて完成した計画だ。

青写真は約10年前。２０１１年3月に東北を襲った、東日本大震災にまで遡《さかのぼ》る。

この時、アメリカのシンクタンクによって書かれた日本復興シナリオの中で、医療を始めとする重要個人情報のデジタル化と、それらのデータを共有する「企業主導でのデジタルネットワーク構築」が提案された。

「ショック・ドクトリン（惨事便乗型資本主義）」という言葉がある。

カナダのジャーナリスト、ナオミ・クラインが世に出した表現で、戦争や災害などが起きた際、その混沌に便乗し、政府やグローバル企業、銀行や投資家などの利権につながるルール変更を一気に導入する、新自由主義的手法のことだ。

ショック・ドクトリンは、歴史的にアメリカやイギリス、旧ソ連や中国、近年ではイラクやリビア、南米など多くの国で行われてきた。そして2020年には、パンデミックを理由に様々な国で実行されている。通常ならば憲法や法の規制が邪魔をして少しずつしか進まない〈市場化〉が、緊急事態下では驚くほどスピーディに進むからだ。

震災から5カ月後の2011年8月。

世界最大の米系コンサルティング会社アクセンチュア日本法人が、被災地である福島県会津若松市に、地域創生を掲げたイノベーションセンターを設立する。

同社は社員48万2000人、売上高4兆4000億円（2018年度）、広告・コンサル業界としては日本の電通グループを抑えて6年連続世界トップの座に君臨し、成長率は5

年連続二桁という豪腕グローバル企業だ。

大規模な津波と人類史上最悪の原発事故が起きた福島の被災地で、同社が描く「地方創生」は、通常とは全く異なる未来に続いていた。

会津若松市をデジタル技術の実証実験地とし、ここで作ったモデルを日本全国に拡げていくのだ。

復興支援の名の下に「会津地域スマートシティ推進協議会」が立ち上がり、市と大学に様々なアドバイスを提供しながら、アクセンチュアは震災復興プロジェクトの主要メンバーとして、デジタル化を主導していく。

スマートシティとは、交通、ビジネス、エネルギー、オフィス、医療、行政などの様々な都市機能をデジタル化した街だ。政府主導でスマートシティを推進する中国やシンガポール、3カ国に投資するサウジアラビアや、ビル・ゲイツ氏がアリゾナ州の無人砂漠に8000万ドル(88億円)を投じて計画中の巨大なスマートシティなど、近年世界各地で開発が進められている。

会津若松市では、手始めに個人の年齢や家族構成に合わせて提供される情報が変わるデジタル情報サイトや、最適な水分や養分を計算して農地に自動供給するスマートアグリ、外国人訪日客向けの言語別の観光サイトや医療データ共有など、様々な情報がオンライン上でつながれていった。

アクセンチュアは、2015年1月に会津若松市が「デジタル地方創生モデル都市」に認定されると、今度は同じく被災地の宮城県気仙沼《けせんぬま》市で、やはり震災復興の名の下に漁業の民営化を手がける、三菱UFJリサーチ&コンサルティングと手を組んだ。

そして両社は住民と企業、観光客にまとめてサービスを提供するための、〈全国共通自治体デジタルプラットフォーム〉を全国に提案する。

2019年4月。会津若松市内に「スマートシティAiCT」が立ち上がり、アクセンチュア、マイクロソフト、フィリップスジャパン、金融のTISにドイツ系のSAPなど、国内外の企業がここに集結した。この街で実証した様々なデジタルサービスを、日本全国に売り込んでゆくためだ。国内ではこれまでにも神奈川県藤沢市や香川県高松市など、スマートシティの取り組みを始めた地域があるが、まだまだまばらな動きでしかない。

アクセンチュア・イノベーションセンター福島の中村彰二朗センター長は、会津若松市の「スマートシティ」を標準化し日本全国に拡げる意義について、こう語っている。

「誰かがやらなければ、日本はデジタル社会から脱落する」

これが第2章で後述する、電気やガス、水道などのエネルギー・インフラをはじめ、交通や医療、教育に農業など、企業主導で丸ごとデジタル化される街「スーパーシティ」へとつながってゆく。

２０２０年3月16日。

アクセンチュアは日本を含む11カ国で６５００人以上の成人を対象にした独自調査を行い、その結果を発表した。

「市民の大半は、公共サービス向上のためならば、行政機関と個人情報を共有することに前向きな考えを持っている」

日本のスマートシティ計画に関わる同社の海老原城一氏は、この調査によって「日本は公共サービスに対する期待が高く、よりよい公共サービスのために市民が個人情報の提供を前向きにとらえていることが明らかになった」と言う。

だが本当にそうだろうか？

デジタル時代に利益を生み出す個人情報を、ＧＡＦＡ（グーグル、アップル、フェイスブック、アマゾン）をはじめ世界中の企業やハッカーたちが奪い合う今、かつてないほどに求められているのは、それを扱う側のセキュリティ意識だ。この間日本の行政は、どんな危機意識を持って、私たちの個人情報を扱ってきただろう?

各国が警戒するオンライン会議ツール「Zoom」

2020年4月。

カナダのトロント大学グローバルセキュリティ研究所が、北米で複数のテストを実施したところ、オンライン会議ツール「Zoom」の暗号化キーが、中国の北京にあるサーバーを経由していたことを公表した。

同研究所は、〈利用目的が友人との連絡、イベントの告知、公共及び半公共の場で行われる講座や講演会の開催などなら別だが〉、と前置きしたうえで、以下のような警鐘を鳴らしている。

〈このようなセキュリティ上の問題があるため、現時点で以下のような強力なプライバシー保護及び機密性を必要とする立場にいる者は、Zoomの使用を推奨しない〉

①スパイ活動を懸念する政府関係者
②サイバー犯罪や産業スパイを懸念する企業
③機密性の高い患者情報を扱う医療機関

④機密性の高いテーマに取り組む活動家、弁護士、ジャーナリスト

中国の「国家情報法」第10条は、定住者でも国内旅行者でも、中国人である限り、中国当局に求められた時には、持っている情報を全て提出することが義務づけられる。

つまりZoomで行われた会議内容やユーザー情報は、中国当局に渡る可能性があるのだ。

トロント大学の発表を聞いた台湾行政院は、すぐに政府及び特定非政府機関に対し、Zoomを使用しないように勧告した。

アメリカ上院は議員らに利用禁止を通達し、同時期にNASAも利用を禁止する。グーグルやマイクロソフトは、社内会議でのZoom利用禁止令を出した。ニューヨーク市は市内の学校に、オンライン授業でZoomを使わないよう呼びかけている。

ドイツでは自由民主党（FDP）のデジタル担当委員長マヌエル・ヘフェリン氏が、機密保護に関する懸念から、国内企業にZoom利用を極力控えるべきだと訴えている。

サーバー問題以外にも、第三者に無許可で個人情報が送られていたことなど、セキュリティ面でいくつもの問題が発覚し、Zoomは株主からも提訴される羽目になった。

そんな中、Zoomへの警戒を強める各国政府の想像の斜め上をいく行動に出たのが、

ここ日本だった。

デジタル改革の中心である内閣官房情報通信技術総合戦略室と、内閣サイバーセキュリティセンターが、国会審議の質問通告や政策に関する国会議員とのＺｏｏｍ利用解禁を、各省庁に通知したのだ。ただし後で問題にならぬよう「第三者に盗聴される可能性があるので情報管理には気をつけるように」との注意書きが添えられていた。

生体識別情報を自動収集する「ＴｉｋＴｏｋ」

同じ理由から、北京を拠点とする中国企業の動画共有アプリ「ＴｉｋＴｏｋ」も、各国の警戒対象になっている。台湾では軍及び治安当局での使用を禁止、香港とインドではサービスを停止、アメリカでは保護者の同意なく13歳以下の子供から個人情報を収集していたことで同社に５７０万ドルの罰金が科され、世界的大ニュースになった。カリフォルニア州の女子学生が同じ理由で訴えた裁判では、データが中国のサーバーに送られていたことが明らかになっている。米国防総省は全ての兵士にＴｉｋＴｏｋの利用を禁じ、トランプ政権ではダウンロード自体が禁止された（その後親中派のバイデン大統領によってＴｉｋＴｏｋ利用禁止令は撤回された）。

２０２１年２月。米イリノイ州のプライバシー保護法に違反しているとして訴えられ、９２００万ドル（約１０１億円）の和解金を払わされたＴｉｋＴｏｋは、再び訴えられないよう、先手を打って規約を以下のように更新した。

〈あなたのユーザー・コンテンツから、フェイスプリントやボイスプリントといった、アメリカの法律で定義されている、生体識別情報を収集することがあります〉

これによってＴｉｋＴｏｋは、ユーザーからの許可なく、顔写真や声紋といった、生体識別情報の収集ができるようになった。

生体認証は安全性が高い認証方法だが、その分不正に入手されればかなり精巧な偽造パスポートなどが作れるため、なりすまし被害が防げず深刻な問題を引き起こす。

この新しいルールが各国の警戒をさらに強めたことは言うまでもない。

だが日本政府はここでもまた、ＴｉｋＴｏｋに対し寛容な姿勢を見せている。

２０２０年２月。ＴｉｋＴｏｋの親会社バイトダンス社の日本法人が経団連に正式に加盟、日本の財界とともに政府に政策提言する立場を手に入れた。同年８月27日の記者会見で、政府がＴｉｋＴｏｋを利用するリスクについて記者から聞かれた菅総理はこう答えている。

「特に問題はなく、規制は検討していない」

政権交代と共にＴｉｋＴｏｋ利用禁止令が撤回されたアメリカと同じように、日本でも与党中枢に誰がいるかによって、対中国の姿勢が変化する。

安倍晋三内閣総理大臣辞任後に、当時官房長官だった菅氏が次期総理の実質内定を得られるよう尽力した二階俊博自民党幹事長は、永田町でも有名な親中派だ。

田中角栄元総理の弟子で表舞台の最高実力者と言われる82歳。毎年のように訪中し、2019年4月には北京で習近平国家主席と握手を交わして「一帯一路フォーラム」に参加。2021年6月にはウイグル、内モンゴル自治区などでの中国政府による人権侵害の非難決議が、与野党で支持が固まった最終段階で、二階氏によって翻されている。

平井卓也デジタル改革担当大臣もまた、データセキュリティについて驚くほど意識が緩いと言わざるを得ない。

アメリカでＴｉｋＴｏｋおよび中国製メッセージアプリWeChatの禁止が決まった時も、平井大臣は「ＴｉｋＴｏｋが情報漏洩した証拠はない」として、重く受け止めなかった。無料通信アプリＬＩＮＥ利用者の個人情報が中国の関連会社で閲覧可能になっていたことが発覚した際も、「私は今後もＬＩＮＥを利用する」などと発言し、全国329の自治体に利用を推進してきたことを批判されている。

日本はデジタルに弱いから、今後はデジタルに強い人間を民間企業から積極的に起用すると平井大臣は言うが、出向元企業の忖度や情報漏洩リスクを考えると、民間からの登用に際しては相当しっかりチェックすべきだろう。

優秀な外国人技術者を登用する際に不可欠な、事前スクリーニングやスパイ防止法関連の整備については、なぜ聞こえてこないのか？

頻繁に流れてくる個人データ流出のニュースも、日本では来ては去ってゆく「点」として、時間と共に忘れられてゆく。

今日本が開けようとしているのは、単に技術がもたらす薔薇色《ばらいろ》の未来へ続く扉ではない。国家機密情報を扱う政府機関、公共施設で、もしも国民の個人情報に紐づけられたマイナンバーデータに何かあったら、国民生活や、国家そのものを揺るがす、重大な被害が出てしまう。

2020年上半期だけでも、世界では360億件のデータ盗難被害が起きている。

そして個人情報は1か所に大量に集められるほど、サイバー犯罪に弱くなるのだ。

この分野の専門知識がない政治家が大半を占める日本の政界で、予算と権限と国民のデータが集中するデジタル庁が、米中企業にとっての「宝の山」と呼ばれる理由がわかるだろうか？

最強権力を持つ「デジタル庁」が来る

2021年5月12日。

「デジタル庁設置法」や「デジタル社会形成基本法」など、合計63本もの法案を束ねた「デジタル改革関連法案」が、参議院本会議で可決された。

発足に向かって動き出している日本初のデジタル庁には、大きな特徴が三つある。

一つ目は、権限がとてつもなく大きいこと。

デジタル庁は内閣の直轄機関であり、デジタル改革担当大臣は内閣総理大臣を直接補佐する立場だ。そして通常は閣議決定を通さないと出せない他の省庁への勧告も、直接出せる強い権限がデジタル改革担当大臣に与えられる。

つまり、内閣府より上位に位置する省庁なのだ。

二つ目は、巨額の予算がつくこと。

デジタル庁の年間予算は8000億円。これに菅総理がさらに1兆円を加えた。総理は

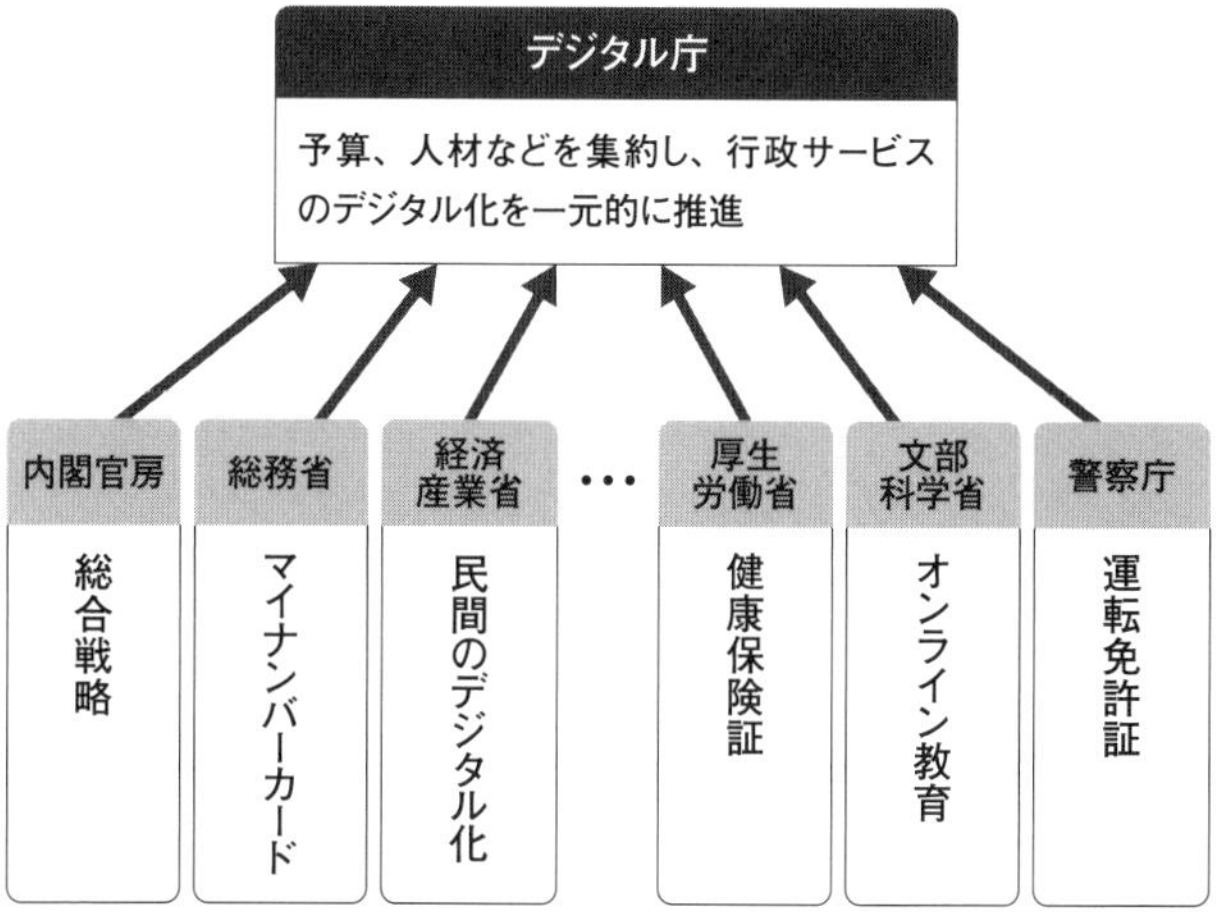

政府が2021年9月1日に創設するデジタル庁のイメージ

世界経済フォーラムの席で、日本が〈脱炭素〉と〈デジタル化〉に力を注ぐことを公言している。今後は全省庁の給与と人事、補助金申請などの業務はまとめてデジタル庁の管轄になり、全国自治体のシステム統一や国税管理、財務省の予算に総務省のマイナンバー発行と全国民情報の一元管理、AIによる監視システムの整備、文部科学省のデジタル教科書に厚生労働省のマイナンバーカードと健康保険証の紐づけなど、ありとあらゆる省庁の担当プロジェクトを、それがデジタル化されるというだけで全て配下に収めるのだ。もちろん〈スーパーシティ〉にも巨額の予算がつく。

三つ目は、民間企業との間の「回転ド

ア」の存在だ。

デジタル庁が予定している職員は６００人。うち２００人の管理者・技術者を、民間企業から迎え入れるという。

今、世界は米中を筆頭に、ＩＴ人材の争奪戦が起きている。

そこで平井大臣は、鍵を握るのは「回転ドア」だと言う。

ＩＴ人材不足が著しいここ日本で、公務員レベルの給料で良い人材を集めようとしても限界がある。ならば回転ドアをくぐるように、民間企業と政府の間を自由に出入りできるようにすれば、今の仕事を辞めずに柔軟に働いてくれるだろうと。

だが本当にそうだろうか？

グローバル企業と政府の間を、利害関係者が頻繁に行き来するアメリカでは、「回転ドア」は利益相反と同義語だ。

企業から出向してくる人間たちは政策決定の場に入り、自社に都合の良い政策を誘導した後、再びドアをくぐって会社に戻り、出世の階段を上がってゆく。

政府の内部事情がわかるので、当然インサイダー的な情報漏洩《ろうえい》も危ぶまれるポジションだ。

企業側に有利なこの仕組みによって、軍需産業に製薬業界、食品、農業、エネルギー、金融業界に教育ビジネスと、巨額の税金が企業に流れ続けている。

〈回転ドア〉とはつまり、まごうかたなき〈合法的利益相反システム〉なのだ。

国民の幸福のために奉仕する公務員にとって最も大事なことは、利益や生産性よりも〈公正性〉だ。だから日本の「官民人事交流法」では、公務員の利益相反を防ぐために、兼業や、出身企業からの給与の受け取りを固く禁じてきた。

だがデジタル庁はこの法律を、さり気なく滑り出しから無視している。

デジタル政策を企画・立案する「ＩＴ総合戦略室」に勤務する１００人以上の民間企業出向者は、すでに自社に籍を残したまま、非常勤公務員として働いているのだ。

「デジタル改革推進に向けた機運を一緒に形作ってゆく想い・覚悟のある人材募集」という熱い言葉と共に、デジタル庁はハイレベルな実務経験を必須条件に人材募集をかけている。

だが政府の本気度が現れるのは、言葉よりもそこにかける予算額だ。募集条件を見ると、週２・３回勤務、勤務時間は90時間以内、賞与ゼロ、昇給なしの非常勤、各種社会保険なしという、大臣の言う「想いと覚悟」など瞬時に吹っ飛ぶような非正規待遇になっている。この条件で集まれるのは、大手ＩＴ企業から出向で送り出される社員だけだろう。

想像してみてほしい。例えば不十分な待遇の政府と、福利厚生つきの給与をくれる自社と、非常勤職員は一体どちらの利益のために働きたいだろうか？

どれだけ華々しく打ち上げても、デジタル化は方法論にすぎない。

私たちがこの間嫌と言うほど見せられてきた、税金を私物化する「官民癒着の構造」が変わっていなければ、デジタル庁は今世紀最大級の巨大権力と利権の館になるだろう。

元電通マンで自民党のネット選挙対策を担当していた平井卓也議員は、２０２０年９月の就任会見で、コロナ禍で支出した特別定額給付金の事務手続きにかかった１５００億円と、給付の遅れを引き合いに、政府機関から地方自治体に至るまで、さっさとデジタル化することが急務だと力説した。

まずは政府機能のデジタル化だ。

「デジタル・ガバメント実行計画」に沿って、各府省や地方自治体のバラバラになったデジタル情報を一つにまとめ、「政府共通プラットフォーム」にしなければならない。

10月から運用が始まった、中央省庁向け政府共通プラットフォームのベンダー（製造・販売元）として選ばれたのは、米系ＩＴ大手のアマゾン・ウェブ・サービス（ＡＷＳ）だった。

政府サービスにアマゾンはOKか？

政府サービスを請け負うのに、なぜ国内企業ではなく、外国資本のアマゾンなのか？

当時の高市早苗総務大臣は、その理由をこう語っている。

「国内のIT企業と比較して、外資（アマゾン）の性能が優位だったからです」

実は国内のIT企業は、〈消えた年金事件〉の際に一度失敗していた。

2015年。日本年金機構が外部からサイバー攻撃を受け、個人情報が流出して大騒ぎになった事件だ。あの時焦った政府は大急ぎで、政府共通プラットフォームに「安全ゾーン」を追加するよう、民間企業に依頼した。

受注したのは、国内通信最大手のNTTグループと、大手リース会社の東京センチュリーの2社だ。

だがこの事業は、世にも悲惨な末路を辿ることになる。

とにかく鉄壁の安全性を！　と政府に依頼されてできあがった「安全システム」は、確かに頑丈だった。だが肝心の各省庁のニーズが無視されていたために、結局誰にも使われないまま2年という月日が流れてしまう。

一体全体どうなっているのか？　と会計検査院が調べるも、どの省庁にどんなセキュリティ対策が必要かの調査も、費用対効果の試算もろくに出てこない。

困り果てた会計検査院は総務省に「意思決定経緯がわかる資料」を求めたが、ブラックボックスぶりが目立つ日本の省庁に、「記録」などというものははなから存在していなかった。結局18億円という貴重な税金は無駄に消え、政府システムのセキュリティ対策は進まぬまま、いつまた次のサイバー攻撃が来るかもわからずにいる。

そして、今回のアマゾンだ。

安全保障に関わる政府システムを、他国の民間企業に任せるケースは世界でも珍しい。デジタル化する際、マイナンバーに統合される私たち日本国民の戸籍、年金、税金、健康保険などの個人情報や、防衛、外交などの国家機密情報を扱う政府にとっての最優先事項はまずセキュリティだからだ。

政府は知っているだろうか?

アマゾンが、CIA（米国中央情報局）やNSA（米国国家安全保障局）など、米国の諜報機関との関係が深い企業であることを。

同社はCIAと6億ドル（660億円）の契約を結び、2020年にはキース・アレクサンダー元NSA局長を取締役に迎えている。これについてはアメリカ国内でも強い批判の声が上がっていた。アレクサンダー氏が、NSAによるアメリカ国民の大規模な盗聴を現場で指揮していた人物だったからだ。

高市大臣はアマゾンをベンダーとして入れるにあたり、国民の個人情報データの置き場所にも配慮したから大丈夫だと言う。

だが本当にそうだろうか？

アマゾンのような企業が日本でデジタルビジネスをする際、個人情報などを管理するデータ設備を日本国内に置く要求は、2020年1月1日に発効した「日米デジタル貿易協定」によってできなくなっている。

TPPから脱退したアメリカのために、日本が衆参併せてわずか30時間以内で強引に通過させたこの協定について、果たしてどれほどの国民が知っているだろう？

GAFAのロビー活動の賜物であるこの協定に日本が署名した時、トランプ大統領は誇らしげにこうコメントしている。

「4兆ドル（440兆円）相当の日本のデジタル市場を開放させた」

GAFAの高笑いが響き渡った瞬間であった。

同協定にはこの他にも、〈デジタル製品への関税禁止〉〈個人情報などのデータは国境を超えて移動させてもOK〉〈コンピュータ関連設備を自国内に設置する要求の禁止〉〈ソース・コードやアルゴリズムなどの開示要求の禁止〉〈SNSのサービス提供者が損害賠償責任から免除される〉などが盛り込まれている。

つまり「デジタルを通して私たち日本人の資産をアメリカのグローバル企業に際限なく売り渡す協定」なのだ。

アマゾンはまた、グーグル、アップル、フェイスブック、マイクロソフトと並び、言論封鎖に関する国家を超えた権力が問題にされている。

2021年1月、これらのテック大手が、当時のトランプ大統領のSNSアカウントを凍結し、彼の支持者たちの言論空間をアプリごと抹消した事件は世界を震撼させた。

この時1000万人のユーザーを持つアプリを抹消したアマゾンは、その後アプリ会社から訴えられている。

日本では「トランプ大統領個人の問題」に矮小化《わいしょうか》された報道がされていたが、以前から税金をほとんど払わず巨額の利益を出し続けるテック企業の暴走を、国際デジタル税などで押さえ込もうと躍起になっていた欧州からは、ドイツのメルケル首相を筆頭に、言論封鎖の暴挙に対し激しく批判する声が上がった。

米国では先の大統領選で、約2割の有権者が利用した電子投票機の部品が中国製のうえに、サーバーが国外にあったことから、大統領選の最中に連邦議会で安全保障に触れる大論争が巻き起こった。

他国の選挙に介入することは、当然ながら国際法で禁じられている。

日本でも一部市町村で電子投票が実施され、平井デジタル改革担当大臣は、国政選挙にデジタル投票機を導入する案を示しているが、日米デジタル貿易協定の中身を読めば、それがどれだけ危険なことかわかるはずだ。

オーストラリアでは、議会がグーグルとフェイスブックに対する規制を審議している最中に、GAFAが見せしめのように国内ニュースを閲覧制限し（後日政府との話し合いで再開）、ここでもその国家を超える権力を、世界に嫌というほど見せつけた。

彼らは普通のIT企業ではない。今や個人や集団や社会全体を全く新しい形で支配する存在だ。そして2018年に成立した「クラウド法」によって、アメリカ政府は米国内に本拠地を持つ企業に対し、国外に保存されているデータであっても令状なしで開示要求をできるようになっている。

「いかなる組織も人民も、政府が要求すれば全てのデータを提出しなければならない」

GAFA		BATH	
Google	約109兆円	バイドゥ（百度）	約9兆円
Amazon	約107兆円	アリババ（阿里巴巴）	約75兆円
facebook	約79兆円	テンセント（騰讯）	約95兆円
Apple	約243兆円	ファーウェイ（華為）	非上場

数字は2021年2月時点の時価総額。
トヨタ自動車は2021年3月時点で24兆円

米系GAFAと中国系BATH。米中ビッグテック企業はもはや国家を超える権力を持ってしまった

という中国の国家情報法。デジタル化を通じて私たち日本人の個人情報という資産を売り渡す「日米デジタル貿易協定」。そして米政府が要求すれば企業の持つデータがいつでも開示される「クラウド法」。

デジタル化に向かう日本は、米中政府とGAFA、BATH（バイドゥ、アリババ、テンセント、ファーウェイ）に包囲されている。

今、各国政府が独自のデジタルシステム構築に必死で注力しているのは対岸の火事ではないのだ。焦って外国資本に投げるより、日本にとって重要なことは今、安全第一の国産システムや人材育成、セキュリティ体制整備の方ではないか。

だが一体なぜ？　と、これを読んでいる貴方は疑問に思うだろう。なぜわざわざこんなにリスクが多い形でのデジタル化を、日本政府は拙速に進めるのだろう？

第2章 「スーパーシティ」の主権は誰に？

丸ごとデジタル化された街

東日本大震災の時に米国が青写真を描き、被災地に参入したアクセンチュアが、そのプロデュース能力を駆使して10年間着々と進めてきた、街を丸ごとデジタル化する「スーパーシティ構想」は、大手銀行、石油会社、保険会社にコンサルティング会社、巨大製薬企業群に、ＧＡＦＡのような米系巨大テック企業群、中国のテクノロジー大手ファーウェイなどがパートナーとなり、投資家たちが熱い期待を寄せる、世界規模のデジタル化プロジェクトだ。

スーパーシティ分野で世界トップを走る中国は、最先端デジタル技術によって、無人行政、無人銀行、無人スーパー、無人ホテル、自動運転などを次々に実現し、究極の利便性と最も効率化されたデジタル都市計画を各地で進めている。

２０１０年から武漢《ぶかん》市、深圳《しんせん》市で建設が始まり、ＡＩによる交通管理システムで車の流れを15%改善することに成功した杭州《こうしゅう》市、2017年に建設が始まった河北省保定《ほてい》市の「雄安新区《ゆうあんしんく》」など、500を超える地域で、スーパーシティの建設・計画が進められている。

これに目をつけたのが、自民党の片山さつき地方創生担当大臣(当時)だ。

2019年1月。片山大臣は自ら杭州市を視察し、同年8月には中国政府と〈日本と中国の両政府間で、今後スーパーシティ構想に関する情報共有などの協力を強化してゆく〉という覚書を交わしている。

完全キャッシュレス決済やAI、ビッグデータを用いた自動運転車のフル活用、デジタル教育にデジタル医療、そしてなんといっても行政デジタル化による手続きの効率化だ。片山大臣は、デジタルで何もかもをつなぐこの構想こそが、少子高齢化と経済不況に苦しむ日本にとって地方再生の道だと確信した。

福島で被災地復興の名の下に、アクセンチュアがハイレベルな形で進めてきたものの、これまで日本全国にスーパーシティ構想がなかなか拡がらなかったその原因を、片山氏はこう語っている。

「わが国にはすでに必要な技術が揃っていますが、実践する場がありませんでした。構想実現の一番の障害は『規制』です。日本が大胆な規制緩和さえすれば、世界に先行してスーパーシティを実現できるはずです」

ちょうどその前年、アクセンチュアは「スーパーシティを日本全国に！」と宣言したばかりだった。日本にスーパーシティを紹介した「スーパーシティ構想の有識者懇談会」の竹中平蔵座長と共に、あっという間に中身がまとまり、法案が国会に提出された。

スーパーシティの三つの落とし穴

だがスーパーシティ法案には、三つのグレーゾーンがある。

一つ目のグレーゾーンは、デジタルを使ったゴミ処理サービスから電気・ガス・水道などのサービス、またキャッシュレス決済やロボットタクシーなど、色々な企業が入ってくる時に、どの業者のどういうサービスをその町に入れるかを誰が決めるのか、ということだ。

普通の都市なら、まず住民とその代表である議会が決め、それから国の許可が下りる。だがスーパーシティを推す竹中氏いわく、そんなまどろっこしいことをしていたら世界に後れをとってしまう。そこでスーパーシティでは、面倒くさい国の許可は飛ばして、事後報告だけでよしとした。肝心の住民たちの意見を募集するパブリックコメント〈いわゆるパブコメ〉も、できるだけ簡略化する。反対意見など出たら余計に時間がかかるからだ。いっそ、役所の掲示板に一週間紙を張っておけばよいではないか。これなら事前に、しっかり住民の声を聞いたことの証明になる。

後は自治体の首長と企業、および実際にサービスを提供する事業者の三者からなる〈地域協議会〉が最終決定すればＯＫだ。

だがスピードと引き換えに、自分が住む街の在り方を決める住民主権は、なし崩し的に失われてゆく。

二つ目のグレーゾーンは、トラブルが起きて住民が被害にあった時、誰が責任を取るかということだ。

例えば道路交通法を緩めて導入が許可されたロボットタクシーは、事故にあったときに誰が責任を取るのかという不安が残る。自動運転車の事故に関する責任の所在は海外でも議論になっているのだ。誰が補償し、責任を取るのか。

街自体がビジネスをする側に有利に設計されているので、泣き寝入りにならずきちんと訴えるためのしっかりした法規制が入るよう、チェックしなければならない。

街の中のあらゆる箇所をデジタルでつなぐために設置される5Gの安全性も同様だ。長期にわたる人体への影響は未知数だが、これについては全く触れられていない。

三つ目のグレーゾーンは、個人情報の扱いが緩くなってしまうことだ。

通常は自治体が個人情報を扱う際には本人の同意が必要になるが、街全体のサービス向上のために使うなど〈公益〉を目的とした使用であれば、同意が不要になる。個人情報がビジネスチャンスになる企業側がどちらを選ぶかは、一目瞭然だろう。

この三つは、地方自治のあり方や、私たち地域住民と地方政府の関係、個人情報の位置づけを大きく変えてしまうため、本来ならば国民にこうした情報が事前に知らされ、一人一人がどうしたいかを考え、意思を表明し、国会での丁寧な説明と時間をかけた議論が必要な案件だ。

だが、多くの重要法案がそうであるように、この法案に関しても、政府はもたもたせずに最短距離で成立させることを決意する。

衆参両院合わせてわずか11時間の審議を経ただけの、速やかな採決だ。

2020年5月27日。

「改正国家戦略特区法(スーパーシティ法)」は、賛成多数であっさりと成立した。

10年前に米シンクタンクが描いた「日本デジタル化計画」は、これで一気に加速してゆくだろう。

こんな重要法案でありながら、世論の反応は極めて薄かった。

国民の関心が、その日ワイドショーを中心にマスコミが流していた、別のニュースに集中していたからだ。

それは当時の安倍晋三総理大臣に数々の便宜を図ったといわれる黒川弘務検事長の定年延長を合法化する「検察庁法改正案」だった。新聞やテレビが激しい政権批判と共に何度も取り上げ、反政府の声がSNSで繰り返し叫ばれていた時のことを思い出してほしい。

奇妙なことに、成立する算段がついていたはずのこの法案を、なぜかこの日になって、安倍総理と自民党政権が「今国会での成立見送り」と発表する。

たちまちネットやSNSに、〈市民の声が、政府を変えた〉〈民主主義は勝つ！〉〈打倒安倍に一歩前進〉などの言葉が溢れだす。お祭り状態の中で、ほとんどの国民は、同じ日に国会を通過した「スーパーシティ法」の存在に気づかなかった。

デジタル版「国家戦略特区」

実はあまり知られていないが、今から8年ほど前の国会で、やはり別の大きな報道にかき消され、ひっそりと成立した、スーパーシティの下準備法案がある。

２０１３年６月14日。

安倍政権下で作られた、自由なビジネスを邪魔する規制にドリルで穴を開ける「国家戦略特区法案」だ。

この特区内では、政府の承認や許可、住民の合意や法律に則《のっと》った届け出などが不要になり、企業間でビジネスが進めやすくなる。

一言で表現すると、ＴＰＰ（環太平洋パートナーシップ協定）が頓挫した時のための保険だった。

ＴＰＰとはブロック経済の中で、参加国の間での規制をフリーにする協定だ。法律を超えて、ヒト・モノ・カネが自由に行き来できるようにする。だが、あまりに企業利益に偏っているため、旗振り役だったアメリカ国内では、徐々に反対の声が大きくなってゆく。

そんな中、日本でいち早く成立したのが国家戦略特区法であり、いわば〝国内版ＴＰＰ〟だった。

日本国内に指定された特区内で現行ルールを緩め、「世界で一番ビジネスがしやすい環境」に作り替える。そこでは通常の法規制に縛られず、フリーハンドでビジネス活動ができるのだ（指定特区は47ページの表の通り）。

例えば東京や大阪などの医療特区。

日本には「医師法」があり、原則として医師以外の病院経営は禁じられ、また営利を目的にした医療をしてはいけないと定められている。しかし特区ではそれが認められ、病院株式会社の設立も、外国人医師による医療もOKだ。

また、日本の法律では、学校の運営は国や地方自治体、または学校法人にしか認められていないが、特区では営利を目的とした株式会社による学校運営や、外国人が経営し、外国人教師が教える学校も可能になる。

外資も含めて企業にここまでフリーハンドを与える重要法案が、なぜほとんどの国民に知られていないのか？

スーパーシティ法案成立の時と同じように、当時もマスコミの報道は、別の話題で占められていた。

言論の自由が奪われるとして、リベラル系の言論人を中心に大ブーイングが巻き起こっ

一次指定特区	東京圏（東京都、神奈川県、千葉市、成田市）、関西圏（大阪府、兵庫県、京都府）、沖縄県、福岡市、新潟市、養父市
二次指定特区	愛知県、仙北市、仙台市
三次指定特区	広島県、今治市、北九州市

国家戦略特区制度における指定区域

た「特定秘密保護法案」だ。

マスコミは反対派の声や、デモの様子を繰り返し報道した。「言論の自由が奪われる」という危機感に国民が感情的に反応するこの法案は、採決の瞬間までマスコミ報道を独占。この隙に、ほとんど話題にならぬままひっそりと、「国家戦略特区法」が成立した。

こうして、企業が自由にビジネスを展開できる「国家戦略特区」が各地に敷かれたことで、そこにデジタル技術を加えた「スーパーシティ」がスムーズに誕生する地ならしができる。この一連の道筋を敷いたのは、パソナグループ会長で「有識者会議」座長の竹中平蔵氏だった。

そう、スーパーシティは企業天国になる。

どれだけ「市民目線の」などというキャッチフレーズを掲げても、公共サービスでない限り、企業には非常時の最終責任はない。

だから住民を守るための規制が存在するのだ。

手続きや縛りが煩《わずら》わしいからと、デジタルに明るくない自治体首長と国内外のＩＴ企業およびその出向社員に決定権を持たせれば、当然サクサク事は進み、利益も拡大するだろう。

ビッグデータや５Ｇなどの新しいデジタル技術は、このプロセスをさらに高速化し、専門外の住民は蚊帳《かや》の外になっていく。

だがここは特に注意しなければならない。

利便性とスピードを重視しすぎた先にあるのは、「公共」の概念が消滅する世界だからだ。

アメリカのジョージア州にある、そのモデルケースのような自治体を紹介しよう。

「公共」が消えた自治体

２００５年に住民投票でジョージア州フルトン郡から「独立」したサンディ・スプリングス市は、行政サービスを全て民営化した「完全民間経営自治体」として法人化されている。この都市に住めるのは、世帯あたりの平均年収が約１０００万円の富裕層だ。

きっかけは、ある時税金について、住民の頭に浮かんだ一つの問いだった。

せっかく稼いで納めた税金が、市内の低所得層や障害者、高齢者福祉に使われるのはいかがなものか？　貧しい子供の教育や食事に使われたところで、リターンが得られなければ無駄な投資だろう。自分たちはこんなに頑張って富を得たのに、その大半が何も努力しない人たちのために流れるのは、理不尽かつ無駄ではないか？

そこでスピードと効率を重視する彼らは、最も合理的な選択肢を選ぶことにした。郡から独立し、富裕層の富裕層による、富裕層のためだけの自治体を立ち上げたのだ。

新しく生まれ変わった人口9万4000人のサンディ・スプリングス市では、市長も市議も職員も、公務員は皆民間企業から派遣される。すべての公共サービスは民間企業が効率重視でスピーディに運営。警察や消防車を呼ぶと、到着までわずか90秒だ。全てがビジネスとして進むため、市民にとっては何もかも快適このうえない。何もかも契約ベースなので、公務員の天下りや袖の下、私腹を肥やす隙もない。「雇われ市長」は企業のCEOと同じで、結果を出せなければすぐにクビになるからだ。

だが、例えば自分が事故で障害者になり、働けなくなって収入がなくなると、ここにはもう住めなくなる。金の切れ目が縁の切れ目なのだ。

一方、富裕層がごっそりいなくなって税収が年間4億ドル（約440億円）も減少したフルトン郡は、財政難から公務員を次々にリストラせざるを得なくなり、周辺地域には警察署がなくなってしまった。

サンディ・スプリングス市内では警察が90秒で来るのに、そこから一歩外へ出た地域では警察がいない。やむなく隣の郡に応援を求めると、その郡から警察が到着するまでにかかる時間はなんと2日。

「待ち時間48時間」となれば、犯罪はし放題、毎日のようにコンビニ強盗が起こるのも無理はない。警察は当然間に合わないが、火災の時の消防車も同じパターンだ。

行政が効率とスピード、経済性を重視しすぎた結果、民営化によって公共サービスは崩壊していった。

デジタル政府とはすなわち、「民営化のハイスピード版」なのだ。

何か被害が起こった際に責任の所在が不明になるのが民営化の弊害ならば、デジタル都市を作るために企業を縛る規制を緩めたスーパーシティでは、有事の際に一体誰が住民を守るのか。

行政とは、そこに住む人々が幸福に暮らせるよう市民が設置した〈公権力〉だ。

彼らを税金で雇うことと引きかえに、住民には自分たちがどんな環境で暮らしたいのか、街の未来を思い描き、声を届ける権利がある。

〈今だけカネだけ自分だけ〉とばかりに同じ地域で困っている人を無駄だと切り捨てるサンディ・スプリングス市には、明日は我が身と他者に心を寄せる想像力と、お互い様の精神で手を差し伸べ合う「公共」の概念が抜け落ちている。

スーパーシティがもたらすデジタル生活は魅力的だ。

だが主役は技術でなく、あくまでもそこに暮らす人々であることを、忘れてはならない。

公務員が要らなくなる

サンディ・スプリングス市の例を見てもわかるように、そもそもデジタル化の強みであるデータの統合や自動化、効率の追求とそれに伴うサービス民営化という一連のステップを進めてゆくと、必然的に自治体の必要性は薄まってくる。

２０１８年。

総務省はデジタル化に伴い、地方自治制度を解体する「自治体戦略２０４０構想」を発表した。２０１７年10月に研究会が立ち上げられ、翌年４月には第一次報告、７月には第二次報告を提出するという、猛スピードで進められた計画だ。

大まかにいうと、第一次報告で〈2040年に日本の総人口が100万人減ることが予想されるので、今の半数の公務員で回せるよう自治体行政を改革〉、第二次報告で〈AIの導入と公共サービスの民間企業への委託拡大〉を提案している。

今のままでは少子化の影響で、特に小規模自治体は存続できないから、デジタル技術と民営化で業務を効率化するという。公共サービスは民間企業に外注し、自治体はその民間サービス（アプリ）を、少数の公務員がマネージャーとして運営する管理場（OS）として、新しく生まれ変わらせるのだ。

さらに、中枢都市とその周りの自治体を地域ごとにまとめて「圏域」という一つの自治体とし、そこに入れない小さな自治体は、都道府県が傘下に入れて上から運営してゆく。選挙で選ばれた地方議会には介入させず、財源措置をはじめ、地方行政は全て国が主導する中枢都市が運営するので、トップダウンで物事がサクサク決まってゆく算段だ。

自治体ごとにばらつきがある職員・非正規職員の区分は撤廃し、会計年度ごとに契約を更新する「共通会計年度任用職員制度」を導入する。これによって、公務員の権利を掲げて変化に抵抗する労働組合の力は弱まり、改革は一層スピーディに進むだろう。

少子化と過疎化をもたらした非正規雇用の拡大や市町村合併、子育てサービスの切り捨てといったこれまでの新自由主義政策を見直すのではなく、少子化を理由に地方から自治を奪い、公務員を減らし、公共サービスを民営化するというこの3点セットは、かつて新自由主義の「女帝」であるサッチャー元イギリス首相が使って労働組合を壊滅に追い込んだ成功モデルだ。

この構想は住民の意思や憲法で保障された地方自治を完全に無視しているため、日弁連（日本弁護士連合会）からも抗議の声が上がったが、政府は気にする様子もなく、総務省は2019年度予算に、この構想に沿ってロボット化やAI導入などを実施する自治体用に補助金5億円を計上した。

公共サービスを民営化し、地方自治を段階的になくすことは、デジタル時代にビジネスを展開する民間企業群には不可欠なプロセスの一つだった。

なぜなら地方自治体には、彼らにとって喉から手が出るほど欲しい金脈である、住民の個人情報が保管されているからだ。今は自治体ごとにバラバラに管理されているこれらのデータを、企業が自由にアクセスできる共通プラットフォームに移さなければならない。

少子高齢化を理由にしているが、自治体解体論は過去数十年の新自由主義政策の総仕上げだった。

80年代にアメリカ政治が新自由主義に乗っ取られ、先進国は公務員抑制を開始、日本も90年代のバブル崩壊以降、後を追うように公共部門は非効率だとする政府とマスコミの公務員批判が過熱していく。

「民営化で無駄をなくせば、料金は下がりサービスの質は上がるはずだ」という小泉純一郎元総理や、竹中平蔵経済財政政策担当大臣（当時）の掲げる改革スローガンを皮切りに、国立大学は独法化、郵便局は民営化、労働者は正規から非正規へ、公共事業はアウトソーシングが増えていった。

その結果、国家公務員（一般職）は81万人（２００１年）から28万５０００人（２０１７年）と７割減。日本は公務員数が先進国でも飛び抜けて少ない国になった。

だが公共の切り捨てによる弊害は、平時ではなく有事に表れる。

大妻女子大学教授で社会学者の小谷敏教授が指摘するように、公共部門を縮小し過ぎた結果、２０１９年の台風被害の際にボランティア頼みで復旧作業が担い切れなかった東北被災地の例や、地方公務員の非正規化を進め過ぎて一人の児童福祉士が年間約43・６人の児童を抱える千葉県柏市で、児童相談所の対応不足から虐待死を防げなかったケースなどは、まさに氷山の一角だろう。

そして今、コロナ禍の私たち日本国民は、2007年以降の10年間で半分に減らされた、全国の保健所や公立病院の補助金削減のツケを払わされている。


自治体の解体、公共部門を民間企業のビジネスにするアウトソーシング、公務員削減と非正規化に、住民の個人情報保護法の規制緩和。これらの点を結ぶと見えてくるのは、世界一企業がビジネスをしやすい環境を目指す〈新自由主義政策〉だ。

デジタルという新技術と、その分野に関心の薄い首長の組み合わせによって、今後この政策はかつてないほど急ピッチで進むだろう。

非常時だらけのこの国で、あらゆる情報を5Gでつなぐスーパーシティは、地域住民の関心を便利な暮らしに一気に集め、その間失われるものの存在をぼかしてしまう。

だが今立つ場所から振り返り、ここまで社会が辿った足跡に目を向ければ見えてくるはずだ。デジタル化の大波の中、本当に守るべきものと、そうでないものが。

なぜなら人間と同じで国もまた、その本性は緊急事態下にこそ現れるからだ。

福祉の不正受給者をあぶり出せ

コロナ禍で困窮者が急増したにもかかわらず、日本ではなぜか、生活保護受給者が増えるどころか僅《わず》かに減少さえしている。政府が生活保護ではなく、緊急小口融資や期限付き家賃補助に誘導したからだ。東京都のデータを見ると、緊急小口融資の貸付件数は、最初の緊急事態宣言からわずか3カ月で21件から4万件超に跳ねあがっている。

国からの補助がないまま自粛だけ要請され、資金繰りの目処がつかない中小企業の倒産で失業者が増え続ける中、生活保護費の一部減額も実施された。

政府はデジタル化によって、情報が共有され、事務的な業務時間が短縮され、その分よりきめ細かく良質な福祉サービスを提供できるという。

だが本当にそうだろうか。

前政権から脈々と引き継がれる、社会保障費を減らしてゆく政策は、今後デジタル化によってますます加速する流れが見えている。

かつて経費削減とサービス向上を旗印に福祉をデジタル化した結果、驚くべき結果をもたらした、アメリカの例を見てみよう。

1970年代の初め、経済不況に見舞われたアメリカで、政府は国からの援助を求める底辺の困窮者と、拡大する福祉予算と不正受給へ向けられる富裕層の不満の間で、板挟みになっていた。

財源を圧迫する福祉への支出を削り、その分の予算を景気対策に充てたいのが政府の本音だったが、現実には景気後退の煽りを受けて、政府援助を必要とする失業者の数は増え、なかなか予算を削れない。

おまけに60年代に人種の壁を超えて団結した福祉権運動のせいで、支出を減らそうにも受給者の権利は手厚く守られている。

選挙を控えた政治家たちは、富裕層と困窮者、どちらか一方の側についてもう一方から非難を浴びるより、両方の有権者票を取り込むうまい方法はないものかと、懸命に頭をひねっていた。

そこで彼らが編み出したのが、一見中立に見える、膨大な受給対象者の個人データを〈デジタル化〉して整理するという案だった。

こうすれば無駄がなくなり経費が削減されるうえに、本当に必要な人に必要な公共サービスが届けられる。困窮者は迅速に援助小切手を受け取ることができ、福祉予算を減らした分を景気対策に回せば、富裕層からの支持率も確実に上がるだろう。

まさに一石四鳥、全員ハッピー・ゴー・ラッキーというわけだ。

こうして、政府による福祉手当受給者に関する詳細な個人情報のデータベース化と、自己申告との矛盾をチェックする、〈監視システム〉が始まった。

一人一人の氏名、住所、年齢、社会保障番号、家族関係や勤務先での評価など、膨大な情報を集めるために、中央政府と地方政府、各省庁と裁判所、警察や福祉事務所などにバラバラに蓄積されていたデータがコンピューターによってつなげられ、共有されてゆく。

受給申請者の職歴や病歴、支出や行動履歴を隈なく監視し、自己申告の情報と矛盾がないかどうか厳しくチェックするのだ。

〈効率化〉〈透明性〉〈効率の悪い役所仕事の、テクノロジーによる改革〉。

ジメジメした景気の悪さを吹き飛ばすような、国民受けする華やかで新鮮なスローガンの数々が、大々的に宣伝される。

1974年にルイジアナ州が全米で初めて福祉システムのデジタル化に踏み切ると、福祉予算増大と財政難という同じ悩みを抱える他の州も、続々と後に続いたのだった。

果たして結果はどうなったのか？

デジタル化したシステムは、公約通り、福祉関連の支出を減らす結果を出した。少なくとも数字上は。

１９７３年には貧困層の２人に１人が受給していた福祉手当は、10年後の１９８３年には10人に３人に減り、ついには10人に１人にまで減る。

だが蓋を開けてみると、デジタル化によるデータ監視は、当初宣伝されていたものとは全く違う、別の目的のために使われていた。

実際の不正受給は全体のほんの一部だったにもかかわらず、「本来受給資格のない申請者」をあぶり出すことの方に重点が置かれていたのだ。

現場で受給者に対面で話を聞いていたケースワーカーたちの給料が下げられ、受給資格を認定する裁量を取り上げられる一方で、申請を却下して受給候補者をリストから消したケースワーカーにはボーナスが支払われる。

貧困層の人々は、少しでも申請書類とデータの間に矛盾があると膨大な書類手続きを最初からやり直させられた。収集されたあらゆるデータの中に少しでも問題行動が見つかると、問答無用で福祉手当の給付を止められてしまう。

数値が改善した背景にあったのは、デジタル化で上がった給付のハードルと、常に監視されているストレスから申請自体を諦める人が増えた結果、申請者数が激減したという事実だった。

以前から公共サービス予算を削減したがっていた州の共和党系政治家と新自由主義信奉者は、この成功例に大いに注目した。その後も手を替え品を替えデジタル技術を導入し、この手法により米国の福祉現場では、デジタル化による見えない弱者切り捨てが拡大している。

ロボット化するケースワーカーたち

「福祉分野へのデジタル技術の導入は、実際に困窮している人々を作り出している原因から目をそらさせ、限られた援助にアクセスするための壁を高くする、逆の結果を生み出しています」

女性の貧困問題を研究する、ニューヨーク州立大学のヴァージニア・ユーヴァンクス准教授は、2000年代にインディアナ州で起きたもう一つの事例を挙げ、デジタル化を推進する政府の意図を見極めることの重要性を指摘する。

インディアナ州では2006年に、共和党のミッチ・ダニエルズ州知事が、個人情報のデータ収集と監視作業というケースワーカー業務を民営化し、最先端のデジタル技術を持つグローバル企業であるＩＢＭに委託した。

ダニエルズ知事が市民に向かって語った、デジタル化のメリットはこうだ。

〈民営化によって、州は向こう10年で5億ドル（約５５０億円）の経費を節約できます。そして膨大な事務作業から解放されることで、ケースワーカーたちは困窮者たちが本当に必要としている援助を見極め、より綿密な協力を提供できるのです〉

だがこの政策の本当の狙いが、公共福祉施設の民営化と弱者切り捨てだったことが、その後に起きた惨事によって明らかになる。

それまで各地の福祉事務所で働いていたケースワーカーの7割は、ＩＢＭのコールセンターに契約社員として転属され、他の派遣社員と共に数値ノルマを与えられて申請者対応をさせられた。給付審査に要する時間削減もボーナスの対象だったため、多くのスタッフが申請者の電話をできるだけ短時間で切り上げ、その結果受給者数は激減。２００６年からの2年間で、却下率はそれまでの5割増、約１００万人分の申請が却下されている。

ダニエルズ知事が力説した〈ケースワーカーと申請者の綿密な協力関係〉など、絵に描いた餅だった。実際、民営化された新しいシステムは、困窮者とケースワーカーの距離が遠くなるように設計されていたからだ。全てはデータと数値で処理され、ケースワーカーは工場で働く労働者のごとく、時間内に割り当てられた仕事を捌《さば》くことを要求された。もちろん以前のような、じっくり個々の困窮者の状況に耳を傾ける時間は全くない。必要情報を自分で入力する〈セルフサービス型〉システムの中で、ネット環境を持たない申請者は、申請書を画面上で入力するために、わざわざパソコンを借りに公共図書館や困窮者用無料相談所などに行かなければならなかった。

失業者、障害者、シングルマザーに高齢者など、多くの困窮者が行政の福祉サービスを受ける資格を失っていった。州民の抗議の声は膨れ上がり、ついに同じ共和党の議員からも批判を受けた州知事は、苦し紛れに責任を企業に転嫁し、ＩＢＭを訴えた。

泥沼の訴訟の後、インディアナ州はデジタル化した行政サービスを廃止し、「民間企業によるデジタル業務処理」と「公務員の対面」との混合スタイルに置きかえることでうるさい抗議者たちを宥《なだ》めようとするものの、時すでに遅し。

支援を必要とする人々に適切な福祉サービスが行き渡るシステムは、もはや機能しなくなっていた。

デジタル化を信奉しすぎた政府が公務員を減らしたせいで、しまったと思った時には、福祉の知識と現場の経験値を持つベテランのケースワーカーがいなくなっていたからだ。

ユーヴァンクス准教授は、自著『自動化された不平等』の中で、こんな指摘をしている。

「デジタル化された福祉は、受給者は怠慢でいつも不正の機会を狙っているという偏見に基づいて設計されている。そのような考えは、スタッフの仕事の成績判断基準プログラムにも反映されてしまうのだ」

そう、福祉や教育や医療など、政府による公共サービスには、デジタル技術や民間業者にはカバーしきれない、人間の力を必要とする領域が確かに存在する。

なぜならそこには、相手の痛みに心を寄せる想像力や、声をあげたくてもあげられない人々の声をすくい取る、データでなく「共感」に動かされる手が必要だからだ。

アメリカで起きたこれらの例は、「公共サービス」において、業務を合理化する最新テクノロジー以上に大切なことが何であるかを気づかせてくれる。

デジタル化を、福祉切り捨てに利用することのリスクと、どんなに便利になろうとも、行政に人間を育てる予算を決して削らせてはならないことを。

AIがお腹の赤ちゃんの「信用スコア」を決める

自治体の公共サービスをデジタルで効率化する際、もう一つ注目されている新システムがある。国民の個人データ管理に使われる、「信用スコア制度」だ。

米ペンシルベニア州では、公共福祉予算の削減に伴い、福祉事務所をデジタル化してAIの予測分析システムを導入した。貧困家庭や困窮者など、福祉を利用する住民グループに関する膨大な個人情報をもとに、どの子供が虐待や育児放棄に晒《さら》されるリスクが高いかを特定し、数値でスコアを出して事前に予測して早期介入を実施するのだ。

これは経費削減だけでなく、まだ母親のお腹にいるうちから信用スコアを出せるという画期的なプログラムとして賞賛された。

だがこのシステムは、人種や経済的困窮者に関する偏見を助長し、コミュニティを分断するという副作用をもたらすことになる。

ホットラインへの通報は大半が黒人やヒスパニック、移民の家庭に対するもので、7割以上は育児放棄のケースだが、この判断は貧困との区別が非常に難しい。

前述したユーヴァンクス准教授によると、デジタル化によって現場での経験を積んだ調査員たちは、自らの経験値よりアルゴリズムの出した虐待危険度指数の判断を信用するという。その結果、通常虐待率は同じにもかかわらず、白人より有色人種の方が多く調査に回されるのだ。

「たとえ虐待の事実などなかったとしても、調査をされること自体が、人々に監視されているというトラウマを植え付けます。そして一度調査対象になると、保護者は子供が23歳になるまで、州の児童虐待登録簿に名前が載せられてしまう。

これは保護者だけでなく、その子供が成人した時に就職を不利にするなど、大きな傷をつけてしまいます。私たちは公共サービスにおけるデジタル化のリスクを、決して軽視してはなりません」

60年代のアメリカで、あらゆる人種が貧困という括《くく》りで物理的に同じ公共施設に収容されていた時と今と、一体何が違うのだろう？

あの頃も、政府は貧困層や困窮者に対する予算を極力抑えようとしていた。

だが劣悪な環境の中、同じ施設にいた人々は悲惨な体験を共に味わった仲間として、人種を超えてつながり合い、社会の理不尽に対して一緒に立ち上がることができたのだ。

ところが今は、デジタル化が進めば進むほど、人間は分断されてゆく。

時間や空間の制限を超えるこの技術によって、私たちは今、良くも悪くも仮想空間に分けられて、違いを超えた他者の姿がよく見えなくなってしまった。

そこでは社会から存在を消された人たちが団結したり、理不尽な扱いを受けている人々が、お互いに苦しみや怒りを分かち合い、共に行動を起こす可能性はほとんどない。

為政者は「不安定化する要素が減って、社会はより安定する」と言うだろう。政府のデジタル信用スコア制度がもたらす利便性と引き換えに、国民がすっかりおとなしくなったと言われる中国のように。

行政がデジタル化されると、自らの意思とは関係なく、仮想空間の中で真っ先に国に個人情報を管理され、プライバシーを奪われる。公共サービスのセーフティネットからこぼれ落ちたら最後だ。今すでにこの社会の中で疎外されていたり、困窮している人々の姿は見えなくなってしまう。

見えない貧困層を増やさないために、彼らが明日の自分になるかもしれないという〈想像力〉と、〈お互い様〉の公共精神こそが、デジタル行政には不可欠なのだ。

第3章　デジタル政府に必要なたった一つのこと

「スイッチ一つで国中停電にされる」──フィリピンの失敗

新技術は進化のスピードが速いことと、未知の部分が多すぎることから、行政が取り入れる際は特に、他国の事例を注意深く検証することが不可欠だ。

アジアで中国やシンガポールと並び、先行してデジタル化を進めているフィリピンの事例からは、注意すべき落とし穴が、また一つ見えてくる。

行政サービスのデジタル化を進めるフィリピンでは、たった2社の国営企業が電力事業を完全に独占し、利益拡大のための経費削減と、競争の欠如からくる手抜き仕事のせいで、サービスは極めて劣悪だった。

そこでドゥテルテ大統領が奮起する。

「俺がこのどうしようもない、腐敗したお役所体質を解決してやる」

そう言って、民間の電力会社「NGCP」を参入させたのだ。その結果、サービスが劇的に改善し国民の78%が利用、ドゥテルテ大統領の人気はますます高まるという一石二鳥となった。

だが実はこの「民間企業」には、大きな落とし穴が隠されていた。

中国企業「国家電網公司」の資本が入っていたのだ。

一体何が起こったか。

電力会社の株をこの中国企業が買い増し続け、会社中枢部の人間は徐々にフィリピン人から中国人に替えられていった。扱う部品も、少しずつ中国製を増やしていく。最終的には株式の40%が買い占められ、送電網を動かしているサーバー設備が、中国の南京市に移されていたことに、フィリピン政府が気づいた時には、もう手遅れだった。

当然ながら中国の企業はすべて中国共産党傘下にあるので、フィリピンのドゥテルテ大統領と中国の習近平国家主席が対立した場合、深刻な安全保障問題が起きることになる。フィリピン議会の報告書によると、電力システムの主要機能にアクセスできるのは中国人技術者のみで、中国政府の指示一つで、遠隔操作でフィリピンの電力スイッチをオフにできるからだ。

そういうことがデジタルでは起こりうる。

特に前述した「国家情報法」を持つ中国系の企業や、日米デジタル貿易協定や「クラウド法」で日本より優位に立つアメリカ資本は、通常とルールが違うので注意が必要だ。

各国政府がデジタル事業を営む外国企業にサーバーを自国内に置くことを要求する背景には、デジタル主権を巡る壮絶な争いがある。

前述した2020年のアメリカ大統領選をはじめ、昨今自国選挙に電子投票機を導入する国が、部品の出所やサーバーを置く場所に神経質になるのはこのためだ。

多国間の貿易交渉の席でも、事業を展開する国の中にデータサーバーを設置する「データローカリゼーション」は、必ず議論のテーブルに乗せられる。

TPPではどの国も譲らなかったが、前述したように、そこからデジタル部門だけ切り離して拡大させた「日米デジタル貿易協定」で、日本はアメリカに押し切られ、GAFAのようなテック企業に有利になる契約を結んでしまった。

今後日本が政府や軍関係、金融や教育に関わる重要施設のデジタル事業を米系企業に依頼するときは、極めて慎重にならなければならない。

そしてまた、アメリカが有利な条件を勝ち取れば、そのアメリカとデジタル権力を争う中国もまた、負けじと日本に触手を伸ばしてくる。

デジタル化の先頭を進む中国にとって、フィリピンの電力のように、他国の基幹インフラに入り込むことは極めて重要だからだ。

軍事力では勝てないが、デジタル分野ではアメリカに並ぶか、うまくいけば追い越して世界トップの覇権を手に入れることも夢ではない。

そんな習近平国家首席の野望を叶えるために重要な役割を果たす、日本が結んだ〈RCEP〉協定（地域的な包括的経済連携協定）をご存じだろうか。

「紀州のドン・ファン元妻逮捕」の裏で決まった危険な〈RCEP〉協定

RCEP協定とは、日本と中国・韓国との初めての経済連携協定であり（その他ASEAN諸国など12カ国も参加）、工業品や農林水産品の関税削減に加え、データの国際的流通や知的財産の扱いなどで共通のルールを設ける、言わば「中国版TPP」だ。

横並びのワイドショー報道で一時、そのメリットが盛んに報道されたTPPと違い、RCEPに関する報道はなぜか異様に少ない。

そして、肝心なニュースを覆い隠すマスコミのスピン報道は、いつにも増して滑らかだ

日本	中国	韓国	タイ
インドネシア	フィリピン	シンガポール	マレーシア
ベトナム	ブルネイ	カンボジア	ラオス
ミャンマー	オーストラリア	ニュージーランド	
（※インドは離脱）			

RCEP協定に加盟した15カ国

った。

アメリカ大統領選の報道が過熱する2020年12月にひっそりと交渉が進み、当時の森喜朗JOC会長の女性蔑視発言が炎上した翌年3月に承認案が衆議院本会議で可決され、「紀州のドン・ファン元妻逮捕」のニュースをNHKが流した4月28日に、参議院本会議で正式に承認されている。

数少ないRCEP関連のニュースは、もっぱら工業品や農林水産品など貿易や関税の話ばかりで、その中に問題らしきものは特に示されていない。

だが本当に問題はないのだろうか？

この経済連携協定を、もう一度〈デジタル〉という観点からよく見てほしい。

前述したように、全世界でデジタル化が進む中、どの国でも神経質になっているのはサーバー問題だ。

サーバーを制するものがデジタルを支配する。

だからこれまでの貿易協定や経済連携協定では、外国企業が電力・通信業界に参入するとしても、サーバーは必ず自国内に設置しなくてはならないという条項が入っていた。

だが地政学的にも経済的にも大きな戦略ツールである他国のデジタルデータへの介入を、中国は決して諦めなかった。RCEPの交渉で最後までその条項を削除するよう、猛烈にプッシュしたのだ。

日本をはじめRCEPの参加国は、何と中国のこの要求を呑んでしまった。

その結果、今後中国企業が日本国内でデジタル事業に参入する際、サーバーが北京に置かれても日本は文句を言えなくなった。中国資本との関係が深い企業が運営するキャッシュレス決済サービスも要注意だ。全て筒抜けになると思った方が良いだろう。

これについて懸念を表明しているのはJETRO（日本貿易振興機構）のみ。

平井デジタル改革担当大臣や規制改革推進会議はもとより、政府からもマスコミからも懸念の声は聞こえてこない。

中国のファーウェイ、アリババ、テンセント、バイドゥなど、中国系デジタル企業は、すでに様々な形で私たちの日常に入り込んでいる。

大事なことなので繰り返すが、中国企業は自国政府からの情報開示要求を拒むことを禁じられている。ＴｉｋＴｏｋがユーザーの生体認証情報を抜き取り、それらの情報が全て中国政府にチェックされているリスクがある中で、子供たちの個人情報と安全は、一体誰が守るのか？

ちなみにＲＣＥＰの重要参加国になるはずだったインドは最終的に協定から離脱。インドとタッグを組んで中国に対抗しようと思っていた日本は、梯子《はしご》を外されてしまう。

邪魔者がいなくなった中国は大喜びだ。

世界を市場に莫大な利権を握るＧＡＦＡを横目に、中国は自分たちの「一帯一路」構想が遠くない将来にＧＡＦＡに追いつき、やがては追い越しその座を奪うことを目指している。

「一帯一路」の〝一帯〟とは、中国からヨーロッパにつながる「シルクロード経済ベルト」、〝一路〟は中国沿岸部から東南アジア、南アジア、アラビア半島、アフリカ東岸を結ぶ「21世紀海上シルクロード」という、二つの地域の広域経済圏構想を指す。

今回ＲＣＥＰには、この〝一路〟の国々が加盟した。

デジタルを入口に世界の覇権を狙う中国にとって、ＲＣＥＰはまさに夢を叶える入口だろう。

だが私たち日本人が今考えなくてはならないのは、アメリカや中国が地政学的戦略として進めるデジタル包囲網だ。

行政のデジタル化には、安全保障面で高いリスクがつきまとう。ならば国が検討すべきは規制を外すことよりも、他国の例をしっかり検証したうえで、国益と国民を守るための規制を早急に整備することの方だろう。

２０２０年11月に署名されたＲＣＥＰ協定は、早ければ２０２１年末に発効するからだ。

民営化の弊害は平時ではなく、有事の際に現れる。

そして被害が出た時には、今の首相も大臣も、旗振り役だった竹中平蔵氏のような民間議員たちも、もう責任を取る場所にはいないのだ。

デジタル化した政府を信用できますか？──エストニアの秘策

もし今の政府を信用できない場合、拙速に進められるデジタル化は私たち国民を不安にさせる。一体他の国々は、この問題にどう向き合っているのだろう？

エストニアという国を聞いたことがあるだろうか？

人口130万と規模は小さいが、デジタル政府のトップランナーとして世界から注目されている。

行政サービスは全てデジタル化され、24時間365日オンライン対応のため、役所の待ち時間は全くない。

99％の国民がデジタルIDを持っており、個人情報が1か所に集約されている。

各種公共料金や税金の支払いは全てオンライン決済だ。

確定申告は家のソファに寝転びながら、アプリ画面に現れる所得額と控除額を確認し、承認ボタンをタップするだけで、3分後に還付金額が表示される。領収書集めや面倒な計算は不要で、そもそも税理士自体が必要ない。住民登録や法人登記、医療に教育、駐車違反切符の異議申し立てまでもがオンライン。

紙の書類が要らないため、デジタル政府の書類棚は空っぽだ。

選挙になると誰でもどこからでも、スマホから簡単に投票できる。

2000年までにすべての学校にPCが配布され、85％がオンライン授業だ。子供たちは学校に通わずに、家で7歳からコーディング（プログラミング）を学ぶ。

政府は成人の10％に無料のオンライン教育を提供し、2000年にはわずか29％だったPCユーザーは2016年に91％まで上昇した。婚姻、離婚、不動産売買を除いて、何もかもがデジタルなのだ。

だが、便利さの代償も小さくない。

情報が1か所に集中すると、それだけ外部からの攻撃に弱くなるのだ。

2007年、エストニアはロシア国内からのサイバー攻撃を受け、サーバーがダウンして行政機能が何時間も麻痺《まひ》する事件が発生した。

これに懲《こ》りた政府は、即座に「デジタルセキュリティ」を国の最優先課題に据えると、NATOと共同でサイバーセキュリティ本部を立ち上げる。国民の個人情報や国家データの安全を強化するために、治外法権のあるルクセンブルクのデータ大使館に国の全データのコピーを保管するようにした。現在エストニアは、全てのデジタル情報を保管する数多くのデータ大使館を持っている。これによって、たとえ国土が攻撃されたとしても、デジタル政府のサービスは24時間途切れることなく継続され、国民の大切な個人情報は安全に保護される。

デジタル政府が導入されてから、エストニアのGDPは300％拡大した。

日本・エストニア友好議連の会長も務める平井デジタル改革担当大臣は、日本をエストニアのようにすると言う。

だが、果たして大臣は知っているだろうか？

エストニアの成功の陰には、単に技術やノウハウだけでない、二つの重要な要素があることを。

一つは「国家の役割を変える」こと、二つ目は「信用を電子化する」ことだ。

ブロックチェーンを味方につけよ

「おそらく大半の国がそうであるように、エストニアの国民も政府を信用していませんでした」

エストニアで7年間、デジタル政府のマネージング・ディレクターとして、マーケティング業務に従事したアンナ・ピペラル氏は言う。

「たとえ紙の書類や複雑な手続きを排除したとしても、権力を持った人間がすることが夢のように変わるわけじゃありません。でもだからこそ、デジタル化は政府と国民の間の失われた信用を取り戻す貴重なツールになり得るのです」

そのための条件はたった一つ、透明性を確保するための「強い規制」だという。エストニアではデジタルIDを通して個人情報が1か所に集められる代わりに、それらのデータに対する権利は本人に帰属する。

そのため、デジタル技術で集めた詳細な個人情報を、政府や企業が自分たちの都合で勝手に使うことができないよう、かなり強力な規制が敷かれているのだ。

例えば医師や警察が国民の個人データにアクセスするときは、必ずログインし、それが職務上必要だと承認された場合にのみアクセスが許可される。ログインするたびに残る履歴は国の「公共サービス」だ。公的な場所に記録されることによって透明性が維持され、国民は自分の情報に、いつ誰がどんな目的でアクセスしたかを、自由にオンラインで確認できるようになっている。

中でも最も重要な要素は、国民が自分のデータを、いつでも削除できる権利を持っていることだろう。

私たちが日常の利便性と引き換えにGAFAなどの巨大企業に差し出す個人情報は、一度渡したら最後、どの情報が、いつ、誰に、何の目的で使われているかを確認することは難しい。そしてたとえ本人であっても、一度ネットに載った個人情報を削除するのは至難の業だ。

エストニアではデータの機密性を守るため、国が個人情報を要求できるのは一度のみ。集めたデータを2か所以上に保管することも禁じられているので、同じデータを異なる役所から求められることはない。

データの重複は回避され、最初に提出した機関がずっと責任を持って保存する。公的なデータは中央政府と地方自治体、企業などの間で幹線道路のようにつながったオンライン上で共有され、そこで行われた全ての動きは完璧に記録される。そして監査役のブロックチェーンが、常にデータの機密性と安全性をチェックしてくれるのだ。

AI市長がスピーディで公正な政治を行う日が来るのか？（2018年東京都多摩市長選より）

確かにデジタル政府は利便性や効率性を見れば、夢のように素晴らしい。

だがここで、エストニアデジタル政府のマネージング・ディレクターが語った言葉を思い出してほしい。

たとえ紙の書類や煩雑な手続きをすべ

て排除しデジタル化したとしても、政治の腐敗や国民の政治への不信感が一緒に消えるわけではないのだ。

個人情報漏洩のニュースがこれだけ頻繁に流れ、隠蔽《いんぺい》やごまかし、「記憶にございません」を連発する政府への信頼が地に落ちている今の日本の状況は、方法論がデジタル化するだけでは変わらないどころか悪化するリスクさえあるだろう。

エストニアがそうであったように、その基盤となる政府と国民の信頼関係、情報の扱いに関する機密性と透明性、国民の個人情報を責任を持って守る公的な仕組み、そして安全保障の意識があってこそ、デジタル政府は国家の繁栄に結びつくのだと、私たちは言い続けなければならない。

「スーパーシティ」構想の実現に向けた有識者懇談会の竹中平蔵座長は、「まずやってみなければわからない」と言う。技術は高速で進化を続け、そのメリットは利便性とスピードだ。モタモタしていると世界に乗り遅れてしまう、と。

そう、技術が進むスピードは、私たち人間の思考をはるかに超える。

だからこそ、私たちは想像力を駆使し、本来の目的を見失わないようにしなければならない。技術の素晴らしさを否定するのではなく、人間の思考と技術のスピードには時差があることを、私たちが認めて受け入れること。

それを一番わかっていなければならないのが、公共を担う政府・行政なのだ。

安全保障に関わる分野で、攻撃されてから考えましょう、では済まされない。

デジタル・ガバメント、などと洒落《しゃれ》た横文字を使っても、政府が政府である限り、その本質はビジネスでなく、国民を幸福にするための「公共サービス」だ。

技術者でない人間には細かいことはわからない。だが立ち止まり想像力を使って、公共の意味を再考することはできるはずだ。

感染症のパンデミックをきっかけに猛スピードで進み出した世界規模のデジタル化の波は、ビジネスの論理が主体なだけに、容赦なく社会を変えてゆく。

この大波に飲み込まれる前に、日本人として、国家として、何を守りたいのか、譲れないものは何かを考え、軸足をしっかりと定めておかねばならない。

国とは本来、100年先の国家をイメージして設計されるものなのだから。

世界のエリート集団が描くデジタル新世界「グレート・リセット」

あらゆるものをデジタル化し、5Gでつないだスーパーシティの先にあるのは、一体どんな新世界だろう?

人間はデジタルテクノロジーを使った第4次産業革命によって、今の資本主義を一度リセットし、次のステージに移行しなければならない。「グレート・リセット」を呼びかけるそんなメッセージを、世界に向けて毎年発信し続けているスーパーエリート集団がいる。

2016年。

世界経済フォーラム創設者であるクラウス・シュワブ氏は、その著書『Shaping the Fourth Industrial Revolution(第4次産業革命を生き抜く)』の中で、これから来る第4次産業革命についてこんなふうに予測した。

そこでは全てをつなげる5GやAIなどの新しい技術が、日常を送るうえで必要な様々な事柄を本人の代わりに決定してゆくようになるという。私たちの小さな行動から個人的傾向、人間関係に至るまで、24時間デジタルで監視された個人データは、フェイスブックやファーウェイやグーグルのような、一握りの巨大プラットフォーマーの元に集められ管理されている。

政府が私たちの頭の中に侵入し、私たちの思考を読み取り、行動にまで影響を与えることを可能にする世界。

シュワブ氏はそれらが、革新的な技術の進化と共に、物理的制限をも超えてゆくだろうと断言する。

手首に装着するサイズのコンピューターから、三次元の音と映像を映し出すバーチャル・リアリティー・ヘッドホン。やがてデバイス自体が皮膚の奥や脳に移植される時代が来るのは、ほぼ確実だ、と。

人類の前に、肉体とデジタル、個人のアイデンティティを融合させる技術（すでに完成済みだ）を伴う「第4次産業革命」という名の新世界の扉が開きつつあるというシュワブ氏の予測は、彼が創設した世界経済フォーラムの理事たち――世界的な金融大手の経営陣や欧州中央銀行、国連やIMF（国際通貨基金）のトップ、中国の億万長者、その他著名なメガ投資家たち――にとって、大いに賞賛に値する内容だった。

人間の脳は、特定の条件下でドーパミンを分泌する。新しいものに出会う時、リスクが伴う時、そしてそこに「報酬が期待される時」だ。

彼らの脳内で、第4次産業革命への期待と興奮がさざ波のように拡がってゆく。

そして、それぞれが世界規模の人脈と巨額の資金力を使い、グレート・リセットという一つの共通ゴールに向かって動き始めたのだった。

難民の行動をデジタルIDで管理する〈ID2020計画〉

シュワブ氏が提唱する「第4次産業革命」は、医療、交通、通信、生産、分配、エネルギーなどのシステムを根底から変える内容だ。

2016年5月。

ニューヨークの国連本部で、2015年に採択された「世界を変革する持続可能な開発のためのアジェンダ」に沿ったSDGs（持続可能な開発目標）の手法の一つ、「デジタル身分証明書」が、議論のテーブルに乗せられた。

年々増加する難民や、途上国で社会システムからこぼれ落ちた貧困層をすくい上げるという人道的な目的で、全ての難民に電子IDを付与し、一括して管理するという国際プロジェクトだ。

これを実現するために、世界トップのソフトウェア会社であるマイクロソフトや、福島から日本全国へスーパーシティを拡げようと尽力中のアクセンチュア、その子会社アバナード、製薬会社などを含む150の企業、政府機関、NGO、各種技術者が参加する〈ID2020計画〉という名の共同事業が立ち上がる。

中心になって出資したのは米ロックフェラー財団だ。「全ての難民に電子IDを」というスローガンの下、最新技術を使ったデジタルＩＤ管理システムの、具体的な取り組みが始まった。

２０１７年６月19日。

国連本部で開催された〈ＩＤ２０２０サミット〉の席で、アクセンチュアはブロックチェーンを使った新システムの試作品を発表した。

すでにＵＮＨＣＲ（国連難民高等弁務官事務所）が導入済みの生体認証ＩＤを、マイクロソフト社のクラウド上で稼働させることで、全ての難民の行動を追跡した記録を、スイスのジュネーブにあるデータベースに一括で蓄積できるという。

ちなみにデジタルＩＤの技術開発を進めているのは、山梨県にあるパティック・トラスト社だ。同社の技術は、ＡＩ画像認識と５Ｇ通信を利用して、個人情報に触れることなくマイクロチップにワクチン接種、ＰＣＲおよび抗体検査の履歴などを記録する。こうした行動履歴を読み取ることで、人々が自由に渡航や移動をできるシステムを目指している。

医療分野では、皮下に埋め込むマイクロチップを使った国際的なデジタル認証システムによって、途上国でのワクチン接種記録を管理するプロジェクトが進行中だ。

〈ＩＤ２０２０〉の主要メンバーであるマイクロソフトの創業者ビル・ゲイツ氏の要請

で、この技術研究を進めるマサチューセッツ工科大学（MIT）の研究者ロバート・ランガー博士は、ワクチンと一緒に皮下に安全に埋め込み、特別なスマートフォン・アプリと共に、フィルターを通すと表示されるインクを開発中だ。

「このアプローチはやがて、途上国の医療問題を解決するだろう」とランガー博士は述べ、〈ID2020〉は現在バングラデシュで試験的に導入されている。

個人情報は「性悪説」で守るべし

エストニアの例を見てもわかるように、行政をデジタル化する際、安全保障と共に最大リスクになるのは「個人情報保護問題」だ。

同国では住民の個人情報に、行政や企業が本人の同意なしには触れないよう、アクセス自体を許可制にして、全ての行動はログに記録されて監査を受ける仕組みにしている。

言い換えれば、あれほど洗練されたデジタル大国でも、ここまで規制を入れないと、住民は安心して個人情報を提供することができないのだ。

エストニアの国民は、個人情報が政府や企業にとってそれだけ高値がつく資産であることを、よく理解している。

だが奇妙なことに、日本ではデジタル改革担当大臣がエストニアをモデルに、などと言いながら、政府が一八〇度逆行する行動をとっている。

個人情報の保護を、ますます緩める法改正をしているのだ。

前述した「改正国家戦略特区法(スーパーシティ法)」によって、個人情報保護法は緩められ、事務手続きに支障が出ると判断されれば、政府や地方自治体が本人の許可なく個人データを第三者(民間企業)に提供できるようになってしまった。

これから自分の住む自治体の行政サービスがすべてデジタル化され、マイナンバーポータルに集約される時、大事な個人情報は、誰も守ってくれないと思った方がいい。

ならば自分で行動を起こすしかない。勝手に使われたくなければ、自治体議員や役所の人に、自分の意思をはっきりと伝えておこう。

大事な個人データを勝手に使われてからでは、取り返しがつかないからだ。

一つだけ、私たち市民にとっての朗報がある。

スーパーシティは自治体ベースなのだ。

たとえ国レベルで総理大臣やデジタル改革担当大臣がどんどん進めたとしても、まだ自分の住んでいる自治体でストップはかけられる。

北海道・東北地方	北海道	更別村
	岩手県	矢巾町
	宮城県	仙台市
	秋田県	仙北市
	福島県	会津若松市
関東地方	茨城県	つくば市
	群馬県	前橋市
	神奈川県	鎌倉市、小田原市
北陸・中部地方	石川県	加賀市
	長野県	松本市、茅野市
	静岡県	浜松市、
	愛知県	常滑市共同、大府市、幸田町
関西地方	三重県	多気町等6町共同
	京都府	精華町・木津川市・京田辺市共同
	大阪府	大阪市共同、河内長野市
	兵庫県	養父市
	和歌山県	すさみ町
中国・四国地方	岡山県	吉備中央町
	広島県	東広島市、神石高原町
	山口県	山口市
	香川県	高松市
九州・沖縄地方	福岡県	北九州市
	熊本県	人吉市
	宮崎県	延岡市
	沖縄県	石垣市

スーパーシティに応募した自治体（2021年夏に選定予定、出典：LAGARE. News）

そのためにも、私たちは相手の手の内を知らなくてはいけない。

情報リテラシーがサバイバルスキルと同義語になったこの時代には、何が起きているかを知れば、別の未来を作ることができるからだ。

成功例の一つである、カナダのトロント市を見てみよう。

街からグーグルを追い出した市民たち

2017年。トロント市はグーグル系列のIT企業に、デジタル都市建設を発注した。

カナダ政府もトロント市も企業にすっかりお任せで、マスコミも「夢の未来都市」「住民目線のニーズに応えた新しいライフスタイル」などと礼賛、私たち日本人が思わずデジャヴュを覚えるような薔薇色のイメージを振りまき、計画は着々と進んでいた。

だがメディアが企業にそれほど支配されていないカナダで、人々は次第にこの計画の負の部分に気がつき始める。

町中にセンサーを張り巡らし、住民の行動を逐一スマホから追跡し、収集した膨大な個人データが「都市作りの参考資料」としてグーグルの姉妹会社に送られるという。

SNS上には、次第に反発する声が溢れ始めた。

何月何日の何時何分にどんなゴミを捨て、
どこからどこまでバスに乗り、
どこの書店に寄ってどんな本を買ったか、
誰と会ってどこで何を食べ、何を飲んだか、
それを全部グーグルに知られることになるだって？

プライバシーや個人情報の問題もさることながら、利便性と引き換えに自治や主権を差し出すことへの不信感、さらにもともとアメリカ人に対してある種のライバル意識が見え隠れするカナダ人特有の不満も加わって、デジタル都市計画に対する反対意見は日増しにネット上で高まってゆく。

その結果、大きくなりすぎた住民の反発を行政側も抑えられず、グーグルの姉妹会社は2020年5月にトロント市からの撤退を発表、計画は中止に追い込まれたのだった。

デジタルで後れをとっている日本だからこそ、今ここで立ち止まり、他国の事例を検証すべきだろう。メリット・デメリットを理解したうえで、ここまでは譲れないというラインを決めて、行政や政府に私たちの声を届ける手段はまだ残されている。

トロント市の例は、デジタル化のメリットにばかり目が眩《くら》み前のめりになっている政府

に引きずられず、公共や自治、個人情報や主権といった、目に見えない大切な資産を守りながら、真に公益に適う制度設計をするための一つのモデルケースになるはずだ。

私たちにはネット検索されない権利がある

個人情報に関して、もう一つの朗報を紹介しよう。

2011年、フランスのある女性が、ネットに掲載された過去のヌード写真の削除をグーグルに要求した。

「ネット上の個人情報は、本人である私に消去する権利があるはずだ」

結果は勝訴。

裁判官は、個人情報の扱われ方は本人に帰属するとして、女性の訴えを承認した。「忘れられる権利」として有名になったこの裁判をきっかけに、欧州議会ではネット上の個人データを消去する権利についての法整備が開始される。

GAFAの傍若無人ぶりに嫌気がさしていた欧州議会は、その後もデジタル時代に守るべきものを時間をかけて話し合い、2020年12月には、GAFAを厳しく規制する法案を提出している。

だがその後グーグルが控訴し、「忘れられる権利」は個々の国々の規制に従うべきだというグーグル側の主張が認められ、適用はＥＵ域内のみに限定された。

つまりグーグルはこう言っているのだ。

自国民の個人情報を守るのは、その国の政府の自己責任だと。

企業には企業のロジックがある。

だがそれが、政府という公共サービスである限り、私たちは自分や家族、そして自国の未来を守るために、その説明責任を求めていかねばならない。

デジタル政府に必要なたった一つのこと

パンデミックをきっかけに、デジタル先進国の名を世に轟《とどろ》かせた台湾では、国民の個人情報保護は、政府の誠実さの指標だと考えられている。

国民の信頼を得ることを優先リストの上位に置いている政府閣僚の一人、デジタル担当大臣オードリー・タン氏は、政府が提出した法案について討論できるオンライン上のプラットフォーム「ｖＴａｉｗａｎ」、市民が行政に対して日常の問題解決のための提案をする「Ｊｏｉｎ」を設置した。

台湾のデジタル担当大臣オードリー・タン氏（写真提供：アフロ）

政府からの提案の中身はここで全て見ることができ、台湾国民であれば誰でも、年齢や性別、職業に関係なく入室し、自由に意見を言うことができる。

日本でも政府に意見を伝えるための陳情書や意見書、署名、政府ホットラインなどが存在するが、台湾のシステムがそれと違うのは、決して一方通行ではないことだ。

国民側から書き込まれた提案の賛同者が2カ月以内に5000人を超えると、政府はそれを正式な請願として受け付けなければならないというルールがある。

16歳の女子高生が書きこんだ、プラスチックストローを禁止するというアイデアが、あっという間に法律として成立したのも、このルールがあったからだ。

法律は社会の仕組みを変える。

そのプロセスに、当事者として関われる実感を手にすること。

それは国民にとって、パンデミックや自然災害をはじめ、予測のつかない未来への不安を乗り越える強さと、現実は自分たちの手で変えられるのだという希望になるだろう。

そして、その機会を与えてくれた政府への信頼は、少しずつ、確実に育ってゆくはずだ。

オードリー氏は言う。

「デジタル行政は、決して私たちの方向性を変えるわけではありません。政府も国民も同じ方向を向いていることを忘れないことが重要です」

日本の私たちが、デジタル政府の軸となるマイナンバーと個人情報の紐づけや、国がそれを管理することに大きな不安を感じるのは、進化したデジタル技術そのものではなく、政府と国民の間に根強く横たわる不信感のせいだろう。

デジタル政府に必要なたった一つのこととは「公共」の精神なのだ。

技術の導入だけでなく、立法の力で私たち国民の大切な個人情報を守り、アルゴリズムがすくい切れない、日々のささやかな営みを、地域住民と共に泣き、笑い、喜び合える公務員がいて、困った時には寄り添い、真摯に耳を傾けてくれる福祉相談員がいる。信用スコアを気にしない素顔の私が安心して生きられる社会。それは一体どんな場所だろう。

少なくとも、高速で進化するデジタルという新技術を、政府や一部の技術者や企業、米中の巨大プラットフォーマーたちに囲い込ませていてはダメなのだ。

関心のない首長のいる自治体がデジタル格差の下に転がり落ちぬよう、大企業からの非正規出向社員より、その自治体に奉職し地元に貢献する意欲を持つ職員を高度人材として確保できるよう、全国規模のデジタル教育に予算を投じるべきだろう。

若い技術者には最新ノウハウだけでなく、近現代史に関心を持たせ、自分たちが設計するシステムによって最も影響を受ける人々の立場を尊重する〈謙虚さ〉を学んでもらう。

そのために、新しいデジタル公共システムを作る際は、そのサービスを受ける当事者たちに、設計についての発言権を持たせることが重要だ。

政策決定プロセスをオープンにし、国民が忖度なしに自由に声を届けられる公的なプラットフォームも必要になる。台湾の市民ハッカーたちが〈透明性〉〈信頼〉〈協力〉の3つをルール化しているように、専門知識のない私たちでも、譲れない大切な価値観を今のうちに考え、伝え、未来の公共を設計する意識を持つことはできる。

デジタル先進国エストニアの国民が教えてくれたように、やたら横文字を並べる政治家の美辞麗句を鵜呑みにせず、システムそのものはうんと〈性悪説〉で設計することが肝心だ。

それを使う私たちが、自国政府への信頼を育ててゆく、スタート地点に立つために。

第II部

マネーが狙われる

キャッシュレスで情報丸見え
スマホ決済で
便利だなー
チャリーン♪
給与もスマホに入ります!
NEWS
マイナンバー
移動・購記録
口座情報
このデータ使える〜

第4章　本当は怖いスマホ決済

中国もびっくり！　現金大国日本

「日本はアジアの先進国なのに、なぜいまだに多くの日本人が現金を好むのか、全く理解できません」

　2021年の春に日本に2週間滞在したという、ある20代の女子大生が、ネット掲示板にこんな疑問を書き込んだ。

「私の国では皆がスマホに搭載されたモバイル決済アプリを使っていますが、本当に便利です。日本に来て、現金しか使えない店がこんなにあることにショックを受けました。デジタルのこの時代に、わざわざ現金を使う意味がわからない」

　そして彼女はモバイル決済の便利な点として、以下の15点を挙げている。

1 クレジットカードを持っていなくても銀行口座があれば決済できる。
2 銀行口座がなくても少額なら決済できる。
3 電気やガス、水道などの公共料金、交通違反の罰金も支払える。
4 ウーバーイーツなど飲食店のデリバリーサービスも利用できる。
5 宅急便の集荷や発送ができる。
6 お札を触らずに済む。新型コロナウイルスのような感染症対策にもいい。
7 ホテルやレストランの予約ができるうえ、待ち時間もわかる。
8 新幹線の予約ができる。
9 各種チケットの予約と支払いができる。
10 海外旅行で現地通貨への両替が不要。
11 ポイントカードをスマホ上で一つにまとめられる。
12 海外送金が一瞬ででき、送られた人もすぐに使える。
13 海外でいちいち両替せずに、QRコードで電車やタクシーに乗れる。
14 身分証明書を持ち歩かなくていい。
15 パスポートやビザの申請ができる。

この学生の出身国は、世界で二番目にキャッシュレス決済が普及している中国だ。２００３年にＰＣでのキャッシュレス決済の認知度が高まり、その後２０１３年にスマホの普及で電子決済が急速に拡がった。現在中国のキャッシュレス決済率は約70％。人口の６割にあたる８億５０００万人が、毎日のように、公共料金や病院での支払いから、スーパーやレストラン、屋台での買い物まで幅広く利用している。基本はアリペイとWeChat Payという中国ＩＴ大手２社が提供する、スマホ画面でのＱＲコード決済サービスだ。

高額紙幣が存在せず、ＡＴＭから偽札が出てくるほど現金に対する信用が低い中国では、スマホを使ったキャッシュレス決済は最も安全な手段なのだ。

「中国では現金がなくてもスマホ一台あれば生活できます。母国に帰ってようやく文明社会に戻れた気がしました。中国はデジタル化では世界トップです。今や韓国もアフリカもキャッシュレス。日本はもう後進国ですね」

そう、日本はいまだにキャッシュレス決済率が約３割（２０２０年）と、世界でも稀《まれ》に見る現金大国だ。

２０１８年に経済産業省が、２０２０年の東京五輪・パラリンピックと、２０２５年の大阪・関西万博を目処に、キャッシュレス決済率を40%まで引き上げる「キャッシュレス・ビジョン」計画を掲げた。だが２０２０年の新型コロナウイルス感染拡大防止対策で現金使用を減らした時でさえ、日本のキャッシュレス比率は数%しか増えていない。

未来投資会議や経済財政諮問会議の主要メンバーで、日本のキャッシュレス化の旗振り役である竹中平蔵氏は、２０１８年６月に開催された「デジタルイノベーション実現会議２０１８」の席で韓国や中国を先進的な例として挙げ、日本が世界の経済競争に負けているのはキャッシュレス化が遅いからだ、と強く批判した。

「この問題を解決しない限り、次には進めません」

竹中氏らの有識者会議から出てくる規制緩和政策には一つの特徴がある。

規制緩和を望む企業群を広告スポンサーに持つテレビ局が、一斉に足並みを揃えるのだ。

ワイドショーがキャッシュレスの便利な機能を紹介し、中国や韓国の若者がいかにスマホ決済を使いこなしているかが取り上げられ、前述した中国人女学生のように、現金しか使えない店への不満を訴える外国人観光客の声に焦点が当てられる。

日本のキャッシュレス5種（plusalphadigital.comを元に作図）

さらに、コロナ禍で政府が支給した特別定額給付金の振り込みが大幅に遅れたことに対する国民の不満の声が、キャッシュレス推進論に拍車をかけた。

給付金の遅れについては、国からの支給にもかかわらず、市町村ではなく「キャッシュレス推進協議会」「サービスデザイン推進協議会」など実態のよくわからない団体に丸投げし、そこから電通やパソナグループに委託されるという、いつもの「お友達ごっこ」が諸悪の根源だった。おまけに中間マージンを取っていた「サービスデザイン推進協議会」が決算報告すらしていないことが後になって発覚するというお粗末ぶり。

デジタル化以前の問題だったのだ。

だがこうした事実は無視され、ワイドショーによって何もかも「キャッシュレス化の後れ」に結びつけられてしまう。

テレビをつけるとコメンテーターの大学教授や芸能人が、いかに日本が世界から後れているかを訳知り顔で口にする。

「今やキャッシュレスは海外で常識ですよ。日本はデジタル後進国。いつまでガラパゴスでいるんですかね?」

だが本当にそうだろうか?

私たち日本人は、多勢の常識に弱い。

だから「世界に後れをとるな」という言葉は、いつだって規制緩和を進める際のレトリックとして使われてきた。人は「乗り遅れるな」と煽《あお》られると、焦る気持ちが先に立ち、影の部分は見なくなる。ましてや新しい技術となると、自分にはよくわからないので、専門家と称する人の話をつい鵜呑みにしてしまう。

新しい炊飯器ならそれでもいいが、「お金」となると話は別だ。

お金の仕組みは、私たち一人一人の生活のみならず、一歩間違えると国ごと乗っ取られてしまうほどの、恐るべき力を持っている。

新しい技術には必ず光と、そして影がある。

まずは竹中平蔵氏が絶賛し、日本が見習うべきだと称える、アジアのキャッシュレス大国の光と影を見てみよう。

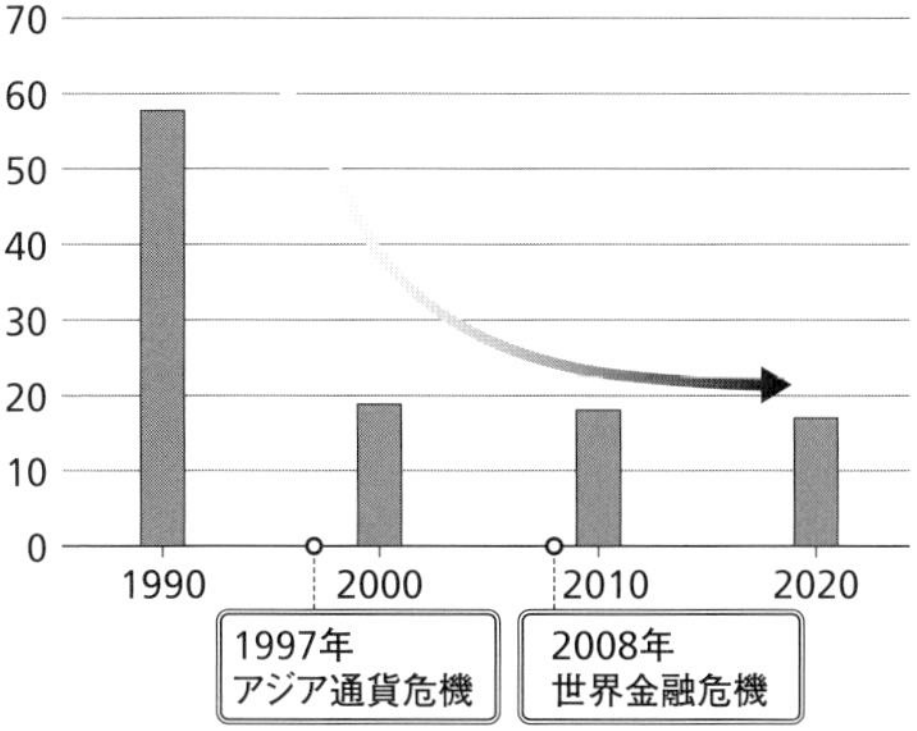

韓国の銀行数の推移。アジア通貨危機で外資に吸収合併され、その数は激減した（出典：International Banker）

キャッシュレス決済一位の韓国はカード地獄

１９９７年のアジア通貨危機でＩＭＦに介入された後、国を挙げてキャッシュレス計画を推進してきたのが韓国だ。

財政危機を脱するために国民の消費を促し、常態化していた小売店などの脱税を防止するというのが表向きの理由だったが、その背景には、ＩＭＦの指示で財閥が解体された後に国内金融機関を最安値で手に入れた外国人投資家とグローバル企業群の、強い意向が見え隠れしていた。

歴史が示しているように、経済が弱った国の国民は、さまざまな理由から、目の前に差し出された安易な金に手を伸ばす。ある者は生活苦から、またある者は起死回生を狙って、欲望からくる衝動に負け続ける者もいる。

彼らに共通しているのは、判断力が鈍っていること。少々利子が高いことは、障害にならなくなるのだ。

通貨危機で弱体化した韓国は、外資金融業界にとって恰好のターゲットとなった。

国民のクレジットカード利用率を一気に引き上げるために、韓国政府は大胆な政策を実行する。300万ウォン(約30万円)を上限に、年間カード利用額の20%を税控除の対象にし、一定以上の売り上げがある小売店にはカード決済の導入を義務化した。

さらに、1万ウォン(約960円)以上のカード決済レシートには当選金総額18億ウォン(約1億7300万円)の宝くじ抽選番号がついてくるという大盤振る舞いだ。毎月一度テレビで実況される宝くじの抽選番組は、国民的な人気となった。

この政策は大成功だった。

韓国ではクレジットカードと国民登録番号が紐づけられているため、カードを使った消費行動は、いつどこで、何をいくらで買ったか、全ての履歴が記録されてゆく。国税庁は国内のお金の動きを把握でき、カード決済の導入を義務化された小売店は、帳簿のごまか

世界主要国におけるキャッシュレス決済状況（2017年）

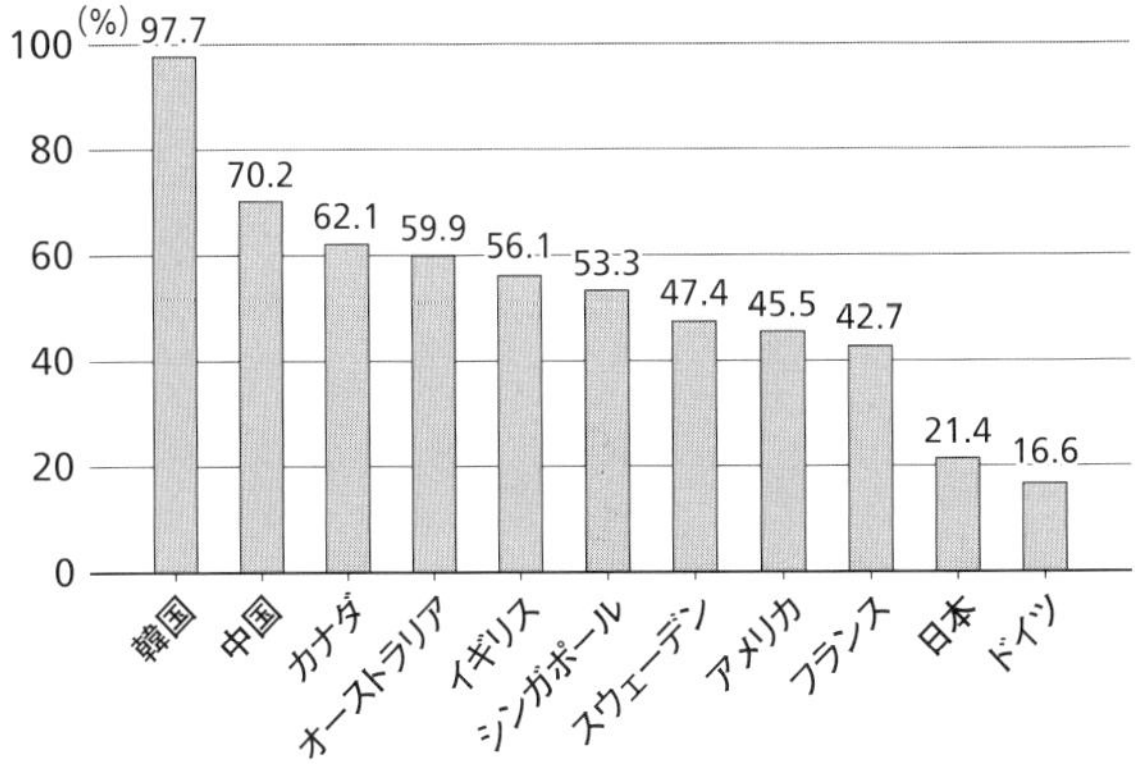

主要国の中でも突出して高い韓国のキャッシュレス比率（出典：世界銀行―「Household final consumption expenditure」（2017）、BIS「Redbook」（2017）から算出）

しができなくなった。

小売店でキャッシュレス決済のインフラが整備されると同時に、大量のカードが発行された。15歳以上なら誰でもクレジットカードが作れるようになり、発行枚数はわずか2年後には4000万枚、5年後の2002年には1億枚を突破する。

外資のハゲタカたちは、自分たちの手に落ちた金融機関と政府に対して容赦ない要求を出す。彼らから圧力を受けた韓国政府は、ついに禁断の規制緩和に手をつけてしまった。

キャッシング貸し出し金額の上限規制を撤廃したのだ。

これによって、消費者はクレジットカードで最高1000万ウォン（約95万円）まで自動的に借り入れができるようになり、A社で借り入れた金額をB社のキャッシングで返済し、それをまたC社からのキャッシングで返済するという、〈自転車操業キャッシング〉が増え始めた。

一人当たり平均4・1枚のカードを持つようになった消費者は、キャッシュレスで買い物をすればするほど、その購買データを元にした自分好みの新製品広告が続々と送られてきて購買意欲をそそられる。また、カード会社ごとにポイントや特典がつくため、それを期限内に消化しようとしてますます買い物をしてしまう。

どれだけ借りても、自転車操業キャッシングが助けてくれるので心配は無用だ。

まさに終わりなきカード地獄の始まりだった。

国民がカードを使って使って使いまくるおかげで景気はV字回復、クレジットカードの8割を占めるVISAとマスターはもちろんのこと、韓国金融業界の大株主である外国人投資家たちは、空前の株価上昇とカード決済手数料拡大に、勝利の祝杯をあげたのだった。

だがその一方で、キャッシュレスの副作用が、韓国国民の暮らしと、社会全体を確実に蝕《むしば》んでゆく。

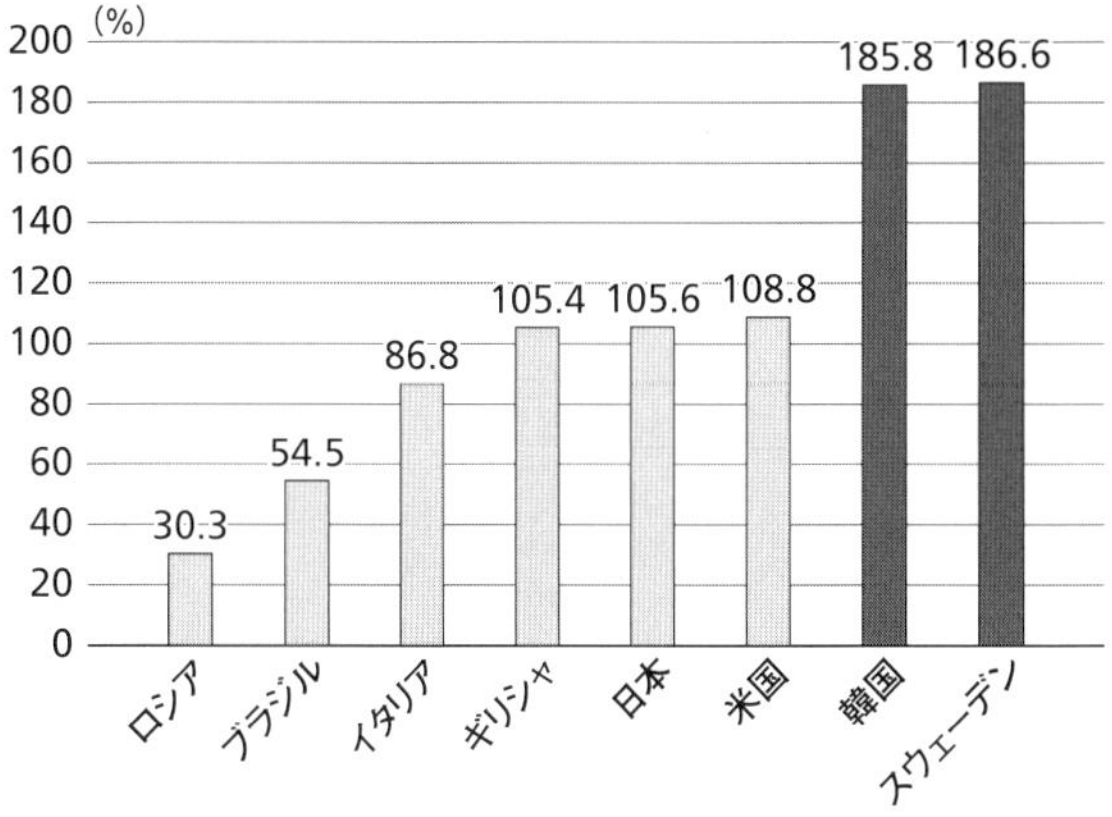

一般家計債務比率（手取り収入に占める負債比率）の国際比較。キャッシュレス大国の負債比率は高い（出典：www.koreaherald.com）

２００１年に２％だったカード支払いの延滞率は、カード発行枚数が４年前から２・５倍に増えた２００２年に８％まで急騰、その翌年の２００３年には11％と、一気に跳ね上がったのだった。

そして２０２０年。金融監督院は、韓国のクレジットカード利用残高の総額が31兆ウォン（約２兆９７００億円）と、過去最大額を記録したことを報告した。カード借金が最も多い年代は、仮想通貨や株の購入にハマる20代（19％）と、生活費や事業の資金繰りに困窮する60代（17％）だ。統計では、２６０万人が平均金利13％のカードローンを利用、うち56％が３社以上から借りる多重債務者になっている。

これらの不良債権がある時点で限界を迎えた時、韓国経済はドミノ倒しのように崩れていくだろう。

政府とマスコミがキャッシュレス礼賛一色の日本で、韓国が抱えるこの爆弾は、果たして他人事だろうか?

私生活が丸ごと監視される中国

韓国に次ぐキャッシュレス社会のトップランナーである中国はどうか?

前述した女学生が言うように、中国は今や都市部を中心にほとんどの経済活動がキャッシュレスで回っている。

通勤のシェア自転車からタクシーを呼ぶ配車アプリ、買い物に旅行にホテルにジムに、何をするにもまずは二大IT大手であるアリババのアリペイか、テンセントのWeChat Payというモバイル決済のどちらかに登録しなければならない。

屋台で餃子を買っても、コンビニで煙草を買ってもスマホ決済。レストランも映画館も、旅行もホテルも公共料金支払いもパスポートの申請も、スマホ画面上のQRコードをかざすだけでサクッと会計が済む。

２０２０年のパンデミックで外出制限された際に急増したレストランのデリバリーも、全てスマホ決済だ。

前述したように、中国は日本に比べ、圧倒的に貨幣への信頼が低い。

筆者が２００２年に大連《だいれん》を訪れた際、レジで渡したお札をしつこいほどにチェックする現地の店員に、辟易《へきえき》したことを覚えている。

「従業員の持ち逃げ防止のためにカード払いのみにしている」と話す店主もいた。空港のＡＴＭで現金を下ろしてきたばかりだと言っても、ＡＴＭからもよく偽札が出てくるから信用できないと言う。

おまけに現金を持ち歩くのは盗難リスクがあるからやめておけ、と繰り返し忠告まで受ける始末だった。

だが、こうした問題もキャッシュレスなら解決する。ボロボロの汚いお札を使わずに済むし、偽札をつかまされる心配もない。強盗に怯えながら紙幣を入れた財布を持ち歩く必要もなく、従業員がこっそりレジから売上金をくすねることも不可能だ。

だが、その便利さと引きかえに、国民はデジタル社会における最大の資産を差し出さねばならない。

いつ、どこで、何を、いくらで買ったのか。

何月何日の何時何分に、どこからどこへ移動したのか。

どこに住んで、どんな味を好み、どんな家族構成でどんなペットがいるのか。1週間に平均で食事にいくらかけるのか？　どんな本を読み、どんな薬を服用し、どんな金融商品を買っているのか？　子供の成績から交友関係、自身の思想信条に至るまで、ありとあらゆる個人情報を、アリババとテンセントに吸い取られる。

データは分析され、2社にとってのさらなる商売のタネを生み出してゆく。

この2社は、ますますデジタル化が進む世界の中で、個人情報という宝の山にいち早く目をつけていた。中国だけでも十数億人の人口を持つこの巨大市場は、デジタルでつながり国境が消滅する世界の中で、途方もないビジネスチャンスをもたらすからだ。

アリペイを提供するアリババは、2014年にニューヨーク証券取引所に上場、2017年時点では時価総額がアマゾンを超える世界有数のIT企業に成長していた。

同社の創業者であるジャック・マー氏と、中国共産党の習近平国家主席の両者は、吸い上げた個人情報を集積したビッグデータを、こんな言葉で表現している。

「データとは、現代版産業革命の石油だ」

国内に財産を所有できない中国の国民は、様々な手を使って資産を海外に移動させる。政府がそうした国内外のお金の流れを正確に把握するために、キャッシュレスは最高のツールになった。

裏金のあぶり出しだけでなく、中国政府は広い国土に住む全国民を効率よく管理するシステムを導入した。地方の農村などを中心に、銀行からもカード会社からも借り入れができない貧困層を組み込んだ「スマートファイナンス」だ。

アリペイは2015年に、決済情報から取り込んだ個人の買い物データや銀行へのローン返済履歴に、日常的に集められる膨大な個人情報を合体させ、AIが点数化した社会信用スコア「芝麻《ジーマ》信用」を開発、これを自社の決済システムに搭載した。

この信用スコアは、学歴や勤務先、資産、人脈、行動（買い物や交通違反、各種トラブルなど）、返済履歴（未払い等）の5項目から計算される。

アリババ本社から最寄りの地下鉄駅に表示されているのは「社会信用スコアが低くなると、ローンや融資の審査、就職や入学など、様々な場面で日常生活に影響が出る可能性がある」という警告文だ。

スコアが低くなり、自治体が管理するブラックリストに載ると、あらゆる面で経済活動ができなくなる一方で、高スコアになると、ローンの金利が優遇されたり、賃貸住宅の敷金が無料になったり、病院で通常前金制の治療費を後払いで支払えるなど、多くのメリットが用意されている。

月200万件の融資を8秒で審査

この信用スコアについて、肯定的に捉えている中国国民は少なくない。理由は、〈便利だから〉〈不正が減ることで社会が良くなるから〉〈出会い系アプリで優先的に紹介してもらえるから〉など。

アメとムチの両方を持つこの制度は、まさに絶妙な匙《さじ》加減で設計されているのだ。「スマートファイナンスグループ」は、この信用スコアを使うことで、わずか8秒で融資の可否を審査する。その数、月に200万件。見事クリアすれば借入れとともに、個人情報の吸い上げも開始され、ビッグデータはますます大きくなってゆく。

クレジットカード問題に詳しい消費生活ジャーナリストで、長年にわたり人々の消費生活を取材してきた岩田昭男氏は、信用スコア制度の全国展開を進める中国を「究極の監視社会、窒息社会だ」と批判する。

中国政府は公然とこう言い放ったという。

「国にとって好ましくない人間は、普通の生活すら立ちゆかなくなるのだ」

お金の動きと信用スコアの二つを握れば、国民の全てを監視できる。

それは為政者なら一度は夢見るであろう絶対的な権力であり、企業にとってはビジネスチャンスが無限に拡がる、宝の山だ。

「信用スコア」を使った審査は、アメリカではすでに合法ビジネスとして花開いている。

「言論の自由」を盾にＧＡＦＡなどの巨大プラットフォーマーが日常的に好きなだけ吸い上げる国民の個人情報を商品化した「ＳａａＳ（＝Surveillance as a service）」（監視によるサービスソフト）だ。元々はアフリカで銀行口座を持たない人に貸し付けをする際の信用調査のために開発された手法だが、ビジネスの匂いに敏感な金融業界の投資家たちは、抜け目なく頭を回転させてこう考えた。

「発展途上国だけではもったいない。目先の資金と引き換えに、喜んで個人情報を差し出す人間は、自国アメリカにも大量にいるではないか」

かくしてＳａａＳはアメリカに逆輸入され、信用調査アプリとしてデビューする。

ダウンロードすれば、たちまち特定の個人のオンライン上の行動を洗い出してくれる優れものだ。ＳＮＳの投稿からメールの中身、ＧＰＳの行動履歴と移動距離、フェイスブックのプロフィール、購買パターンや携帯電話の充電の頻度、アドレス帳に入っている知人の数、電話に出た回数など、これらの詳細データを分析すれば、その人の返済能力や債務不履行リスクを予測する、信用スコアが叩き出す。

これは長年アメリカで使われてきた、クレジットカードの履歴からなる「クレジットスコア」と同等か、それ以上に詳細な予測を提供するものとして注目された。

他にもこうしたネット上の個人の行動記録から、その人が短期間で退職するリスクを数値化する、企業の人事向け商品もある。退職リスクが高い社員を先回りして解雇すれば、社員研修など貴重な資本を無駄に投じるリスクを回避できるからだ。

「個人データの闇市場」と呼ばれるこれらの商品の需要は高く、今や金融業界を中心に、顧客の日常生活の奥深く入り込むことは企業にとってもはや常識となっている。

キャッシュレス化で吸い上げられる情報とそれ以外の個人データが紐づけられた時、それが一体何をもたらすか、米中の事例が与えてくれるいくつものヒントが見えるだろうか。

第Ⅰ部で触れた「スーパーシティ」構想には、域内での決済機能とマイナンバーカードの紐づけが含まれている。中国の杭州市をモデルにし、企業の企業による企業のための「ミニ独立政府」とも表現されるスーパーシティが生み出す巨大市場は、国内外の企業にとって垂涎《すいぜん》ものだ。日本のキャッシュレス化の推進とともに、この構想の旗振り役も務める竹中平蔵氏の基調講演「スーパーシティ／スマートシティフォーラム2019」には、国内外から200社を超える企業が詰めかけた。

国民の金融・個人情報をデジタル化で効率よく管理する中国のシステムを絶賛する竹中氏は、2020年のコロナ禍でも、マイナンバーと銀行口座とを紐づけることを繰り返し提案している。

NTT利権が崩された訳

だが、「世界で一番企業が活躍しやすい国」という目標を前政権から引き継いだ政府と、竹中氏のような規制改革論者たちが進める日本社会キャッシュレス化計画には、大きな障壁が立ちはだかっていた。

クレジットカード決済をする際に、店側が負担する〈決済手数料〉だ。

これが全国の小売店に、キャッシュレス決済制度の導入を渋らせている。

クレジットカードはインターネットに直接つながっていないため、日本全国どこの店でもカードで支払う際の照会・決済は、NTTデータの電話回線を引いて、同社の照会・決済システムである「CAFIS《キャフィス》」を使わねばならない。

決済するたびに電話代がかかるうえ、毎回の手数料が最大3・15%と、中小の飲食店や小売店には決して小さくない負担がかかる。

旧電電公社が作ったシステムだが、1984年にサービスを開始して以来ずっと料金改定もなく、一般の国民にはほとんど知られていない。

知る人ぞ知る日本の巨大利権なのだ。

だがこうした国内の独占システムは、規制緩和の邪魔になる。

そこで、キャッシュレス利権を奪い合うアメリカや中国のグローバル企業群、彼らの意を汲む日本国内の政府関係者や国会議員が好んで使う「既得権にしがみつく組織を潰せ」というレトリックが登場した。

2016年5月25日、手始めに政府は〈銀行法〉と〈資金決済法〉を改正。これによってこれまでCAFISが行ってきた、利用者とカード会社の仲介業務参入への道が、iPhone7に搭載されたApple Payと、アップルが開発を進めるAppleコインに開かれた。

2020年6月5日。今度は資金移動業者の送金枠の上限を撤廃する「改正資金決済法」が国会で成立。

2020年8月。公正取引委員会が長年据え置かれている決済手数料をはじめ、独占禁止法違反の調査をNTTデータに対して実施する。

マスコミや業界紙は、今まで誰も触れなかった巨大利権についにメスが入った！ などと騒いだが、奇妙なことに実際の調査報告書を見ると、特に明らかな違法行為が書かれているわけでもなく、全体的にトーンもおとなしい。

つまり目的は別のところにあったのだ。

案の定NTTデータにとっては、調査が入ったという事実そのものがダメージとなり、決済手数料の一部を、渋々引き下げざるを得なくなった。

だが、この40年近く独占的地位にいたNTTデータの牙城が崩されたという衝撃的なニュースの裏で、静かに進められたもう一つの、極めて重要な規制緩和についてはあまり知られていない。

1973年に発足し、以来日本全国の銀行をつなぐオンラインデータ通信システムとし

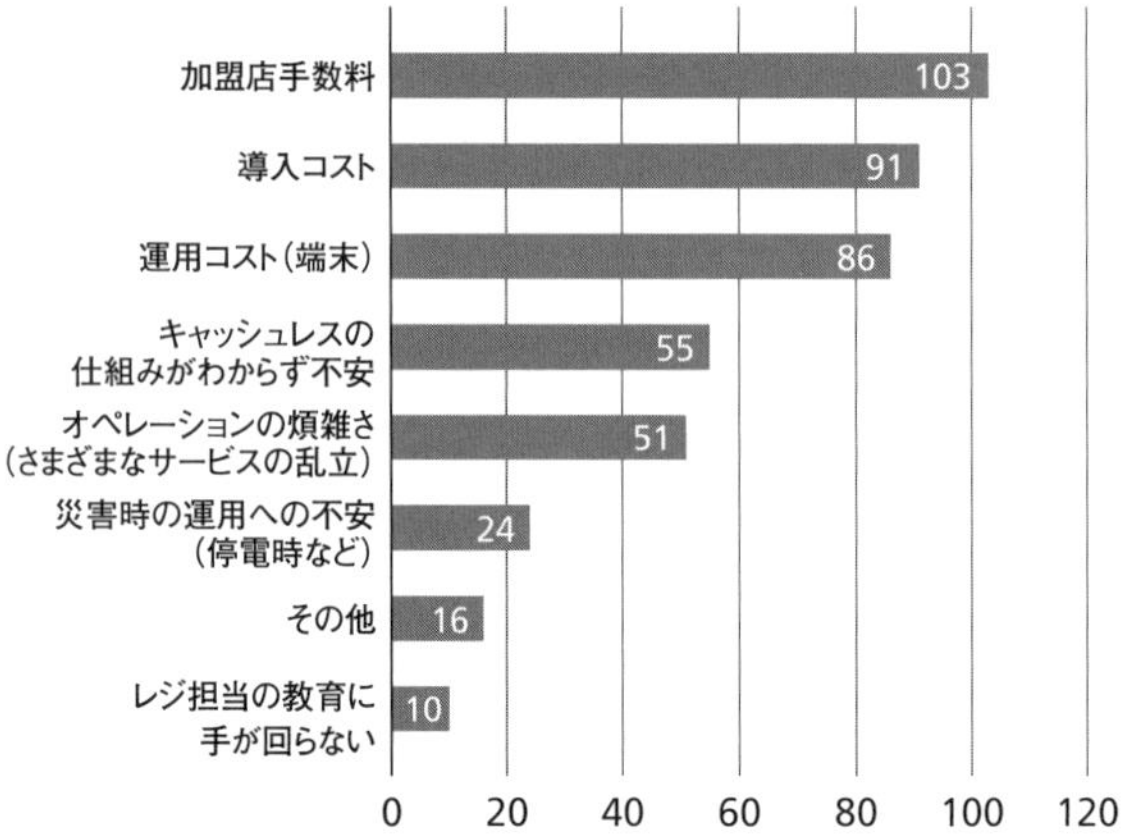

店側がキャッシュレス決済を拒む理由（n=153、複数回答、出典：エキテン総研）

て機能してきた「全国銀行データ通信システム（全銀システム）」だ。

キャッシュレス化を阻んでいるもう一つの障害は、銀行間の資金移動の際にかかるシステム利用料だった。○○ペイのようにスマホ画面上のコードをかざすQRコード決済は、クレジットカードに比べて決済手数料が安いが、小売店が資金を銀行口座から○○ペイ口座に移す際には「全銀システム手数料」を支払わなければならない。

この負担のせいで、小売店はQRコード決済業者を入れるのを躊躇《ちゅうちょ》してしまう。

日本の「キャッシュレス化」の足を引っ張るこの利用料を何としても見直せという声を盛り込み、2020年7月に政府が閣議決定したのが「成長戦略実行計画案」だ。

極めつきの要請は、ＰａｙＰａｙのような「ノンバンクの決済業者」を全国銀行協会に入れるという驚くべきものであった。

全銀システムに加盟しているのは全て正規の免許を持った銀行や信用金庫などで、そのシステムは１９７３年の発足以来、半世紀近く事故を起こしていない。

この優秀なシステムに、偽造ＱＲコードや数千万単位の顧客情報流出がたびたび問題になる、無免許の外資を含むノンバンクを参加させ、日銀の当座預金口座を開設させるというのがこの提案だ。

想像してみてほしい。

銀行の免許を持たない○○ペイなどのキャッシュレス決済業者が資金不足に陥った際に、複数の条件をクリアしさえすれば、日銀が無担保で融資してくれるという光景を。

菅政権のキーマン二人は揃ってＰａｙＰａｙ関係者

発足以来一度もシステム障害を起こしていない、金融取引の安心と安全を何よりも優先してきた全銀システムが、改革（民間企業の参入）を阻んでいるなどと批判され、ＮＴＴデータもろともターゲットになったのはなぜなのか？

この背景には、竹中平蔵氏と共に菅政権のキーマンと呼ばれる、ある人物の存在があった。

日本の改革が進まないことについて、ＣＡＦＩＳと全銀システムの存在が諸悪の根源だと公言しているのは、ＳＢＩホールディングスの北尾吉孝代表取締役社長だ。

同氏と中国との関係は深い。

北尾氏は２０１９年、民間企業経営者としては初の中国投資協会戦略投資高級顧問に就任。同年ソフトバンクとヤフーが設立したＰａｙＰａｙと提携し、翌20年にはＣＡＦＩＳを通さなくても住信ＳＢＩネット銀行から低コストで行える入金サービスを開始した。

ＰａｙＰａｙは日本で３９００万人の登録者数を持つ、利用率ナンバーワンのＱＲコード型スマホ決済アプリだ。月５万円を上限に買い物金額の20％還元と、抽選で10万円までの買い物を全額無料にする「１００億円あげちゃうキャンペーン」で話題を集めたほか、２０１９年の消費税増税のタイミングで政府が実施した「キャッシュレス・ポイント還元事業」の補助金も受け、順調に顧客を増やしている。

だがその一方で、キャッシュレス化の最大の問題はセキュリティの弱さだ。

東京商工リサーチの調査によると、2020年に個人情報が漏洩した上場企業とその子会社のうち、漏洩数が最も多かったのはソフトバンクグループ（PayPay）の2000万件、2位が楽天（楽天、楽天カード、楽天Edy）だった。2020年12月にはPayPayのサーバーがブラジルからの不正アクセスを受け、加盟店の情報約2000万件が流出した可能性が確認されている。

クレジットカードでも、2019年に三井住友カードが不正ログインを受け、約1万7000人分の支払い明細が閲覧された可能性が報告されているが、PayPayや楽天などの情報漏洩規模はこの2000倍だ。

確かに中国都市部を中心に、QRコード決済の普及は著《いちじる》しい。だが日本には交通系ICカードをはじめ、安全なキャッシュレス決済も数多く存在する。

「遅れている」という声に煽られて導入を急ぐ前に、念には念を入れた、セキュリティ面での検証が必要だ。

NTTデータという岩盤に穴を開け、PayPayのようなノンバンクの決済業者が、すでに確立され安全性に定評のある全国銀行ネットワークに参入する道筋をつけたのは、他でもないＰａｙＰａｙの提携会社、ＳＢＩホールディングスの北尾社長と竹中平蔵社外取締役だった。竹中氏が社外取締役を務めるオリックスもまた、自社が手がけるＰａｙＰａｙを日本に導入する際の仲介ビジネスによって潤うだろう。

だが、政府が次々にマイナンバーと国民の個人情報を紐づけてゆくここ日本で、もしも情報が流出した場合、漏洩は口座番号だけでは済まなくなる。

偽札をつかまされる不安のない治安の良さや、市中に出回る清潔なお札が示す造幣技術、全国どこでもコンビニかＡＴＭで現金が下ろせるような国が、一体世界にいくつあるだろう。

一年中どこかで地震や豪雨、台風、土砂崩れなどが起こるこの自然災害大国で、災害時には現金にまだまだ大きな役割がある。

私たちは立ち止まり問うべきだ。

現金を下ろすインフラに乏しく、偽札や治安の問題がある国とは違う日本のような国が、そこまでキャッシュレス化を急ぐ必要は果たしてあるのだろうか？　と。

日本国内の小売店がキャッシュレス化を進めれば進めるほど、クレジットカード決済手数料の３％が、アメリカのカード会社（ＶＩＳＡやマスター）へ流れてゆく。

ハッキングが合法の韓国や、国家情報法がある中国企業と近い○○ペイには、私たちの個人情報が流れるリスクが常につきまとう。

2019年の「キャッシュレス・ポイント還元事業」で、とにかくオリンピック前に何とかキャッシュレス化を進めてしまおうと考えていた日本政府。ゆくゆくは決済の80%をキャッシュレスに、というその目標は、一体誰の方を向いているのだろう？

デジタル給与で外資が笑う

だが、政府のキャッシュレス計画は停滞していた。

治安が良く、強盗や偽札の心配もなく、自然災害大国の日本では、いくら力を入れてキャッシュレス化を推し進めても、なかなか思うように進まない。

大盤振る舞いで補助金を投じたポイント還元も、ＰａｙＰａｙの「100億円あげちゃうキャンペーン」も、キャンペーン期間が終われば特典狙いの客は離れ、また勢いが落ちてしまう。公正取引委員会からＮＴＴデータに揺さぶりをかけ、小売店に課す決済手数料引き下げを促しても、検討委員会は既得権側のメンツばかりで、スピードは期待できないだろう。

それに加えて2020年以降のコロナ禍で緊急事態宣言を乱発し、国民に自粛させ飲食店に営業時間や酒類提供を規制したことで、中小企業はバタバタと倒産、小売店はますますキャッシュレス決済の導入を渋るようになってしまった。

かつては頼みの綱だった外国人訪日客もコロナで激減。

キャッシュレス云々以前に、店の存続自体が危機なのだ。

国民のオンライン消費を増やし、小売店が否応なしにキャッシュレス設備を入れざるをえなくなるような、そんなウルトラCの秘策はないだろうか？

あった。

金の出所である給与を、先にデジタル化してしまえばいい。

2020年7月17日。

政府は「成長戦略フォローアップ」を閣議決定する。

これは労働基準法の賃金支払いの5原則で、「通貨で、直接、全額を、毎月一回以上、一定の期日に、労働者に支払わなければならない」とされている給与を、企業が○○ペイなどの資金移動業者の口座に入金することを許可する規制緩和だ。

早速ルール変更のための準備が開始された。

資金移動業者とは、銀行以外で振り込みや送金ができる業者のことを指す。ＰａｙＰａｙや楽天ペイ、ＬＩＮＥペイなど、２０２１年6月時点で約80社が登録している。銀行口座を使わなくても、直接ＰａｙＰａｙのようなスマホ決済サービスやプリペイドカード、電子マネーのサービスなどを通して給料を受け取れるため、もう給料日にＡＴＭの前に行列する必要はない。

現金を下ろさなくても、キャッシュレスで買い物や各種支払いができるのだ。

現金を持ち歩かなくて済むので犯罪抑止効果もあり、治安向上に貢献する。

会社側のメリットは、毎月給与支払いにかかる振り込み手数料の節約だ。

何よりも、日本が世界に後れをとっている「デジタル化社会」に向かって、大きく進歩できるではないか。

給料をデジタル化するというこの案は、２０１８年「国家戦略特区諮問会議」の場で提案されたのが始まりだった。

国家戦略特区とは、企業が世界一ビジネスをしやすい環境を作るために、通常の国内ルールを極限まで緩くした、言うなれば〈企業治外法権特別地域〉だ。

どのルールをどう緩和するかについて話し合うこの会議の場で提案された「給与デジタル化」は、ビジネスをするうえで有利になる特典が満載だった。

企業治外法権であるこの特区では、学校や病院、老人ホームに農地など、様々な施設を民間企業が経営する。日本の他の地域と違い、法律に縛られずにのびのびと利益を追求できるので、外国人投資家にとっては金の卵を産む鶏がたくさんいる鶏舎のような存在だ。

数年前、政府が介護報酬を減らして国内の介護施設がバタバタ倒産した際は、ブルドーザーでなぎ倒すように、アメリカや中国などの外資ファンドが介護施設を買い上げていった。

外資の株主は容赦ない。

利益を高めて株主報酬を増やすために、人件費はできるだけカットする。

雇用は派遣が基本、企業側に融通が利くよう、できれば日雇いが望ましい。

給与はできるだけ抑え、組合などを結成されないよう細心の注意を払わねばならない。

こうした条件で安く確実に人手を確保するためには、外国人労働者を大量に入れるのが得策だろう。

だが外国人労働者を雇う際、銀行口座と、母国への送金がネックになる。

在留期間が3カ月未満では住民票が取れず、銀行口座が作れないのだ。在留3カ月以上半年未満の外国人が作れるのは非居住者円預金口座のみ、海外送金ができる普通口座は作れない。日本では給与、家賃、光熱費など、生活をするうえで必要な支払いの大半は口座振り込みや自動引き落としのため、日本で働く外国人にとって銀行口座は死活問題だ。

だがデジタル給与にすれば、この問題は解決する。デジタル口座なら、100万円以下の振り込みや海外送金ができるうえ、口座開設手続きの手間もかからず、在留期間が短い外国人でも利用可能だ。

企業の側は、これで問題なく速やかに人手を確保できるようになる。手間とコストがかからない外国人労働者が増えるほどに、価格競争が日本人の労働条件を押し下げ、その結果外国人も含めた労働者全体の雇用環境が地盤沈下してゆく。だが特区でビジネスをする企業側にとって、それは大して問題にならない。優先リストの上位にあるのは、コスト抑制と必要な時必要なだけ人を雇える自由、そしてスピードなのだ。

これが法制化されることで、ビジネスは確実に加速する。

外資企業と株主たちは、ほっと胸を撫で下ろし、ＰａｙＰａｙなどの資金移動業者側も大喜びだろう。

毎月まとまった額が確実に入金される給料は、彼らにとって大きなパイだ。給与を受け取る日本人をしっかり囲い込めるので、ビジネスチャンスが拡がることは間違いない。一度入金が始まれば、そこから利用者を自社の様々なサービスへ誘導できるからだ。

これが法制化されれば、国家戦略特区の中心メンバーである竹中平蔵氏は、ＰａｙＰａｙと業務提携するオリックスやＳＢＩホールディングスの社外取締役としてだけでなく、会長を務めるパソナグループの外国人労働者斡旋《あっせん》事業にも大きな貢献を果たすことになるだろう。

政府の目玉政策である「キャッシュレス化」は前進し、外資と国内大企業、株主たちはさらなるビジネスチャンスを手にできる。デジタル給与はまさに一石四鳥の名案なのだ。

だが、政府や企業や投資家にとって有利でも、私たち国民にとってはどうだろう？

○○ペイに預金者保護法はない

日本トレンドリサーチの調べでは、自分の給与がデジタル払いになって欲しいかという問いに対し、約8割が「なって欲しくない」と答えている。

主要な理由は、圧倒的に安全面での不安だ。

PayPayなどの資金移動業者は、国の厳しい審査を経て認可される銀行と違い、登録制になっている。

万が一不正利用された場合、「預金者保護法」のような共通ルールはない。つまり、いつ、どんな条件の下にどう保障されるのかは、個々の企業次第になる。

どこの企業から月々いくら給料が支払われて、それをいつどこで何に使ったかの決済データは、全て◯◯ペイ（資金移動業者）に収集されるが、それらのデータの利用方法や個人情報保護規程などは、いまだにグレーゾーンのままだ。

ちなみにLINE Payは韓国、PayPayのソフトバンクは中国企業アリババの筆頭株主、アマゾンペイはアメリカと、日本で使われている資金移動業者の多くが外国資本であり、日本の法規制が及ぶとは限らない。

2014年、LINEの通信を韓国の国家情報院が傍受してデータ収集と分析を行っていたという事実が、日韓政府関係者協議の場で明らかになっている。

PayPayは前述の通り、2020年9月には「電子決済サービス不正引き出し事件」、12月には加盟店舗情報の漏洩の疑いが発覚したばかりだ。

最近中国IT大手テンセントから出資を受けたとして、日米政府に監視されている楽天ペイも同様だ。前述した中国の「国家情報法」により、データが中国に流れるリスクが懸念されている。

携帯大手会社のNTTドコモでは、「d払い」というスマホのオンライン決済上でなりすましアカウントが作られて、数千万円の被害を出した。こうした決済システムは不正利用の際の対策もまだ銀行のようにしっかりと法整備されていないため、よくよく注意が必要だ。

トラブルの度に、決済事業者はこう言って私たちを安心させる。

「大丈夫です。何かあればしっかり補償します」

だが百歩譲って補償がなされるとしても、給与に何か起きたら大ごとだ。補償をもらうための事務手続きをしている間に、支払いが滞り生活そのものが揺らいでしまうリスクもある。

前に筆者がクレジットカードのハッキングにあった時も、被害額が口座に戻ってくるまでの事務手続きに何週間もかかり、電話のやりとりだけで疲労困憊《こんぱい》したことがあった。

また、決済事業者が何らかの理由で業務停止命令を受けたり破産したりした場合、その補償はどうなるのか？　全額が補償されるとしても即日返金されるわけではない。

そしてまた、お金だけ返ってきたとしても、口座の個人情報についてはお手上げだろう。一度流出したものを、決済事業者が追いかけて取り返してくれるわけではないからだ。

金融系の個人情報は闇サイトで高く売れる。

その後どこでどう悪用されるかは、もうわからなくなるのだ。

お金の質が変わってしまうリスクも無視できない。

デジタル給与はあくまでも画面上の数字であり、中央銀行が発行したデジタル通貨ではない。もし銀行口座のように現金で引き出さず、そのままデジタルマネーとして使うとなると、未使用分の残高は使いかけのテレホンカードのように、決済事業者の持つ仮想空間に溜まってゆく。

今の日本ではいわゆる「出資法」によって、銀行や農協、信用金庫ではない業者がこのように資金を預かることは禁止されており、本来は違法になる。

そして何よりも、給与が全て○○ペイに振り込まれるというのは、お金に関する私たちの個人情報が全てわかってしまうということだ。

前述したように、百万、数千万件単位の個人情報流出事件が頻繁に起こる〇〇ペイから、もしこれらの個人情報が流出し悪用された時のことを想像してみてほしい。約８６００万人の個人情報が韓国と中国に流れていたＬＩＮＥ事件も、いまだにはっきりした解決はしていない。

ましてや日本では政府の意向で、今後様々な個人情報が入ったマイナンバーカードが、銀行口座と紐づけられようとしているのだ。

地方銀行が淘汰されてゆく

デジタル給与の導入は、長引くデフレとマイナス金利で苦しんでいる地方銀行にとっても大きな打撃になる。

なぜなら銀行にとって預金者の給与口座は、とても大きな意味を持っているからだ。私たち預金者の多くは、給与が振り込まれる口座を、日常的に使うメイン口座にしている。変更手続きが面倒くさいので、大半は一度設定するとメイン口座はそのままだ。

その結果、入学や結婚、出産に起業、入院や退職や年金、相続などの、まとまったお金を動かす人生の様々な節目には、このメイン口座を持つ銀行にお世話になることになる。

「長いお付き合い」を望む銀行にとって、メイン口座の所有者は単なる預金者でなく、人生を共に歩く大切なパートナーなのだ。

何かあればすぐ相談に乗れるよう、関係を繋いでおく大事な窓口であるこのメイン口座を失えば、銀行の収益は大きく減ってしまう。

メイン顧客が大企業ばかりのメガバンクはまだいいが、地元の個人顧客と個人預金の運用益に頼る地方銀行は、ますます生き残りが厳しくなる。

メガバンク優遇の新自由主義政策によって、地方の中小銀行が次々に倒産し淘汰されていった、スーパーリッチの社会主義国「超格差社会アメリカ」の後を、またしても私たちは追うのだろうか？

Go Toトラベルとデジタル給与の共通点

コロナ禍で苦しむ中小の飲食店、小売店にとっても「デジタル給与」は他人事ではない。

給与というまとまった額が入金されるとなると、個人がデジタルマネーを使う割合は今よりずっと大きくなる。手数料の高さが割に合わないとして導入を渋っていた小売店も、さすがにキャッシュレス決済を導入せざるを得なくなるだろう。

だが初期費用・手数料無料のキャンペーン期間が終われば、営業時間が短縮されようが外国人観光客がいなかろうが関係なく、手数料を支払わねばならない。

小売店でのキャッシュレス決済が増えれば増えるほど、売り上げから手数料が業者に流れてゆくのだ。

このパターン、既視感を感じないだろうか。

政府が景気対策として行った〈ＧｏＴｏトラベルキャンペーン〉を思い出して欲しい。

ＧｏＴｏトラベルキャンペーンは、国内旅行代金のうち実質最大50％を国が補助することで、困窮する全国の観光産業を応援するという触れ込みだったが、蓋を開けてみれば儲かったのは、この政策を実現させた観光族議員のドン、自民党の二階俊博幹事長が会長を務める全国旅行業協会（ＡＮＴＡ）ら業界団体と、ＪＴＢなどの大手旅行会社だけだった。

地方の小さな民宿などの零細施設や中小旅行代理店企業は救われず、その多くがコロナ禍で力尽きて次々に倒産。中国人専用の不動産サイトでは、倒産した京都の旅館が売りに出す伝統的な町家《まちや》の人気が急上昇している。

デジタル給与は選択制だ。最初はそれほど普及しないだろう。

だがそれは入り口に過ぎない。

最初は選択制でも、キャッシュレス比率80％という目標を達成するために、政府が今後様々な分野をキャッシュレス化して外堀を埋めていけば、やむなくデジタル給与を選ぶ人の割合はじわじわと増えてゆくだろう。

思い出して欲しい。

日本の規制緩和の合い言葉が、「小さく生んで大きく育てる」であることを。

あらゆる分野のルール変更が、全てをデジタル化するという政府の目標に向かって、着々と進んでいるのだ。

デジタル給与はトップバッター。

次に控えているのは「〇〇ペイ生活保護」や「〇〇ペイ年金」あたりだろう。

ATMで並ばずに済む程度の利便性と引き換えに、私たち国民の大切な資産や個人情報、この国を支える中小企業や飲食店、地域を支える地方銀行などを差し出すほどの価値は、果たしてあるだろうか？

危険すぎる竹中平蔵式「ベーシックインカム」

「毎月7万円ほど支給すればいいんですよ」

2020年9月にパソナグループの竹中平蔵会長がテレビでこう発言し、ネットで大炎上したのが、毎月決まった額を全国民に給付する「ベーシックインカム論」だ。「7万円で生活できるのか」という疑問や「一定以上収入がある人から後で回収するならベーシックインカムではない」などの指摘に加え、そもそもベーシックインカムを入れること自体の是非を問う声が出たが、問題の本質はこの制度を今の日本に入れることで一体何を目指しているのか、という政府の青写真だろう。

中国を訪問した時に大きな感銘を受けたという竹中氏は、スーパーシティとキャッシュレスをセットで日本に導入するために尽力中だ。以前からあちこちで提唱している、この「竹中平蔵式ベーシックインカム論」の先にあるイメージもまた、中国の成功例が色濃く反映されている。

国全体のデジタル化を急速に進める中国では、前述した「信用スコア」の点数によって、受けられる公共サービスに差がつけられる。政府が好ましくないと判断した人物は、デジタル化した中国社会でまともに暮らせなくなると党幹部が公言するほどに、信用スコアは完全管理型社会のツールとして効果が高い。

デジタルは、ボタン一つで簡単に人の行動を止めることができる。

プラットフォーム	契約数・月間アクティブユーザー数	信用スコアサービス		ランク制度	キャッシュレスサービス
ソフトバンク	4043万人	Yahoo!信用スコア J.score（みずほ銀行）		ヤフー会員ランク「ストアスタンプラリー」	PayPay
ドコモ	7705万人	ドコモレンディング ドコモスコアリング		dポイントクラブステージ	d払い
楽天	約1億人	?	←	楽天ランク特典	楽天ペイ
提携					
KDDI	5351万人	?	←	au会員ランク	auペイ
提携					
LINE	2億1700万人	?	←	マイカラー	LINEペイ
提携					
メルカリ	1236万人	?	←	メルカリボックス	メルペイ

信用スコアを導入する企業（「IT media」2019/4/29の記事を元に作図）

現金ではないのでタンス預金もできない。それゆえデジタル化とベーシックインカムがセットになると、国民は生きる術《すべ》を政府に強く依存することになってしまう。蛇口を開けるのも閉めるのも政府が握ることになるので、反政府の暴動は減ってゆくだろう。

現に中国では、政府が導入した信用制度とキャッシュレスの組み合わせを導入して以来、国民の

〝お行儀〟が格段に良くなったと言われている。信用スコアが落ちると社会的サービスへのアクセスが絶たれ、まともに暮らしていけなくなるからだ。

日本でもＰａｙＰａｙ銀行が個人の信用スコアを企業に販売し始めており、２０２１年５月に成立したデジタル改革関連法では個人情報保護法が緩められ、これからは思想信条や犯罪歴、病歴などのセンシティブな個人情報も次々にデジタル化されてゆく。

信用スコアに近い制度が、日本にも刻々と近づいてくる足音が、聞こえるだろうか？

社会保障を切り捨て、派遣システムなど雇用の流動性を重視する新自由主義政策を推進してきた竹中氏は、ベーシックインカムを入れる代わりに、生活保護や年金を廃止して、その分の予算を他のことに回すという。

だが想像してみて欲しい。

社会保障が一つまた一つと廃止され、毎月デジタルマネーで振り込まれる給付金が、セーフティネットだなどと呼ばれる社会のことを。

信用スコアで引っかかり、給付が止められる可能性はゼロではない。

現金でなくデジタルマネーが主流になる社会では、誰が蛇口を開け閉めするのかが死活問題になるのだ。

第5章　熾烈なデジタルマネー戦争

80年代に語られた「デジタル通貨」の青写真

１９８８年に発行された、イギリスの雑誌「エコノミスト」１月９日号の表紙を覚えているだろうか？

描かれているのは、金色のコインの後ろで鷲が羽を広げるイラストだ。羽を広げる鷲の足下では紙幣の山が燃えている。

特集は「国際通貨システムの船出に備えよ」。

テクノロジーの進化によって現金に代わる新たな仕組みがやってくることを予感させるこの表紙は、当時ちょっとした話題になった。現金のない世界は、当時まだ誰もが想像できるものではなく新鮮だったのだ。だがその後、スマホやＩＣカードの普及と共に現金以外の決済方法が増え始め、キャッシュレスの利便性は私たちの日常を隅々まで変えつつある。

毎日のちょっとした支払いだけではない。

通貨は国と国の関係、国際社会のパワーバランスもダイナミックに塗りかえ、私たちの人生や夢、自尊感情を強大な力で支配する。

人間と貨幣の関係、そのものまでも。

それから15年後の2003年に、オンライン仮想世界「セカンドライフ」の中で換金可能な仮想通貨が登場する。2009年にはブロックチェーン技術を使ってデジタルデータだけでやり取りされる分散管理の仮想通貨「ビットコイン」が現れ、人々にこんな期待を抱かせた。

「中央銀行の支配から人々を自由にする、全く新しい通貨システムの誕生だ」

かつてフリードマンやハイエクのような経済学者たちが説いた、国家権力と通貨発行権を切り離すべきだという思想。

国家の強制力が及ばないデジタル通貨の登場は、文字通り革命的だった。

中央集権的な通貨発行者が存在せず、発行枚数に上限があり、その価値は需要と供給によって決められる。銀行を間に入れなくても取引でき、特定の企業・サービスでしか使えない電子マネーと違い、通常の通貨と交換できるなど、法定通貨同様の役割を持つのが特徴だ。

ビットコインだけでなく、今では7000種近い仮想通貨が存在する中、代表的なものは5種類ある。

だが発行主体を持たないビットコインのような仮想通貨は、通貨供給量をコントロールできず、バックに何も持たないので信用も弱い。

4人に1人は違法ユーザーで、違法取引件数は全体の44%を占めている。匿名性の高さが、法の目をくぐり抜けるのを容易にするからだ。

そんな中、すでに多くのユーザーを持ち、世界的に信用が確立されている巨大企業の一つが、この分野に参入してきた。

巨大利権に挑み、潰された仮想通貨「リブラ」

「世界中で銀行口座を持っていない10億人を助けたい」

フェイスブックの創設者マーク・ザッカーバーグがそう言って、仮想通貨「リブラ」構

	発行・運営団体	利用者数	価値の裏付け	価格変動
リブラ	リブラ協会	未定（フェイスブック利用者は約27億人）	法定通貨や国債	小
ビットコイン	不在	約4000万口座	なし	大

リブラとビットコインの違い

想を発表したのは、2019年6月のことだった。

リブラはビットコインと違い大きな価格変動がなく、複数の法定通貨に裏づけられることで信用が担保されている。「商品やサービスを購入」したり、「法定通貨と交換」できるなど、中央銀行が発行する通貨と同じ機能を持つのが特徴だ。

VISAなど多くの有名企業が参加するリブラ協会は、リブラ発行で手に入れた法定通貨の運用利益で運用コストを賄《まかな》い、株主に還元する。

いつでもどこでもスマホ1つあれば瞬時に決済でき、国際送金などは既存の銀行から行うよりずっと速くて低コストだ。

金融政策に障らないだけで、あとは銀行通貨と同様の機能を持つリブラは、世に出ればフェイスブックが抱える27億人のユーザーと、協力企業の顧客リストを通して爆発的に拡がる可能性を持っていた。

だがこれに対し、アメリカ下院金融サービス委員会は即座に反対声明を出す。

「こんなものが出たら、既存の金融システムが不安定になるではないか」

そう、既存の金融システムだ。

多くの中央銀行がそうであるように、アメリカの連邦準備制度理事会（ＦＲＢ）にも、ドルを刷るたびに、原価を差し引いた残額を国債として政府に貸付けて利子を得る「通貨発行益」という巨大なドル箱がある。

そのうえドルは大半の国で貿易決済に使われるため、他国に対する強力な政治力となる基軸通貨だ。ドルを経由した国際取引には、常にＦＲＢやアメリカ当局の監視の目が光り、アメリカの意に沿わない国に対しては、経済制裁の名の下に容赦なくドル決済を停止できる。世界トップの軍事力と基軸通貨ドルを持つアメリカとの交渉で、多くの国は圧倒的に不利な立場なのだ。

ＦＲＢとアメリカ政府にとって、既存のシステムからわざわざデジタル通貨に参入するインセンティブが薄い理由が、見えるだろうか。

１９７１年にニクソン大統領がドルを金《きん》で裏づける制度を廃止したことで、為替レートが固定から変動相場制になり、アメリカは持っている金の量を気にせずにドルを好きなだけ刷れる特権を手に入れた。

日本をはじめアメリカに輸出する世界の国々は、ドルの金利を稼ぐために、決済して得た貿易黒字分のドルを、米国債に再投資せざるを得なくなる。ドルのグローバル化とはすなわち、アメリカだけに都合の良い金融システムだった。

そしてその後アメリカでは、銀行業に関する規制が次々に緩められ、金利は青天井になり、米国債の売買契約を独占するウォール街は笑いが止まらなくなった。

世界最大の軍事力とともに、刷り放題のドルを貸し出して利子を得ながら、リスクは借り手が負担するという金融利権が、FRBとウォール街の力を巨大化してゆく。

ニクソンがドルを金で裏づける義務を外した直後、今度は実態のないところから金が金を産む金融工学を利用した「デリバティブ（金融派生商品）」が市場にデビュー。アメリカの投資銀行はこの錬金術によって、さらに巨額の利益を手にするようになる。

中央銀行でありながら民間企業が全ての株を所有するFRBは、大統領より強い権力を持つ金融業界と一心同体だ。

2008年のリーマンショック時点で、アメリカの最大手4行は、世界のほとんどの国のGDPを超える資産を手にしていた。天文学的な数字の富が生み出す莫大な政治的影響力のおかげで、金融危機の原因を作った張本人にもかかわらず、彼らは誰一人罰せられていない。その後に出された業界を規制する法案も、息のかかった連邦議会議員たちによって全て骨抜きにされている。

リブラという新しいデジタル通貨に対し、金融サービス委員会が言い放った、守るべき「既存の金融システム」とは、アメリカを動かすごく一部の人間のための「金融社会主義」を意味していた。

他国の中央銀行もまた、FRBと同意見だった。

フェイスブックが持つ27億人のユーザーの多くが〈安い・速い・手軽〉の三拍子揃ったリブラを使うようになれば、銀行は顧客を奪われ、収益が確実に減るだろう。

中央銀行が独自のデジタル通貨を出したとしても、リブラが広く普及した後で再び顧客を奪い返すのは至難の業だ。

つまり銀行家たちからすると、これはとんでもない話であった。

「テロリストを手助けする道具になるのでは」

「脱税をどうやって防ぐのか」

各国政府が次々にザッカーバーグの新通貨構想への批判を口にして、リブラが集中砲火を浴びている間に、アメリカ議会はリブラを上場させないための規制法案を次々に打ち出し妨害する。

その結果、VISAなどの協力企業もリブラ構想から次々に離脱、結局フェイスブックは当初の構想を諦めるより他なくなった。名前もリブラから「ディエム」へと変更、規模を縮小したステーブルコイン（仮想通貨と違い、法定通貨と連動することで価値が安定する）へと、方向転換を余儀なくされたのだった。

リブラのケースは、私たちに重要なことを気づかせてくれる。

どれだけテクノロジーが進化しても、通貨をめぐる人間の欲望は、そう簡単には変わらないことを。

「世界は問題だらけ。そう、資本主義はもう限界なのです。この際だから、全てデジタルでリセットしてしまいましょう」

世界経済フォーラムのサイトに行くと、色鮮やかなコンセプト動画が流れてくる。だがそこにあるのは、どれも抽象的なイメージばかりだ。

夢のような近未来の新技術が現れると、私たちはその眩しさについ目を奪われる。遠くの光に手を伸ばし、足元を見ることを忘れてしまう。だがデジタル技術が想像を超えるスピードで社会を変えつつある今、手にする道具や社会の枠組みを変える前に、人間の速度で立ち止まり、今いる場所を確かめなければならない。

これまで意識してこなかった「通貨」そのものに目を向けて、問いかけるのだ。

一体今の通貨システムは、誰が、どのように、利益を得て回っているのだろう？

さっさとデジタル通貨を発行せよ

リブラの登場は各国の中央銀行に危機感をもたらし、それまでデジタル通貨に消極的だった米ＦＲＢの態度まで、一八〇度変えさせた。

テクノロジーの進化を捉えて時代の波に素早く乗るのは、いつだって官より民だ。たとえリブラを潰しても、今後第二、第三のリブラが次々に現れ、中央銀行を脅かすだろう。

２０２０年２月の下院金融サービス委員会で、ＦＲＢのジェローム・パウエル議長は「ＣＢＤＣ（中央銀行のデジタル通貨）」についてこう証言した。

「中央銀行はようやくデジタル通貨に目覚めた。リブラが火をつけたのだ」

だが実際米国でデジタル通貨を実行するには、財務省当局や議会承認が必要になる。

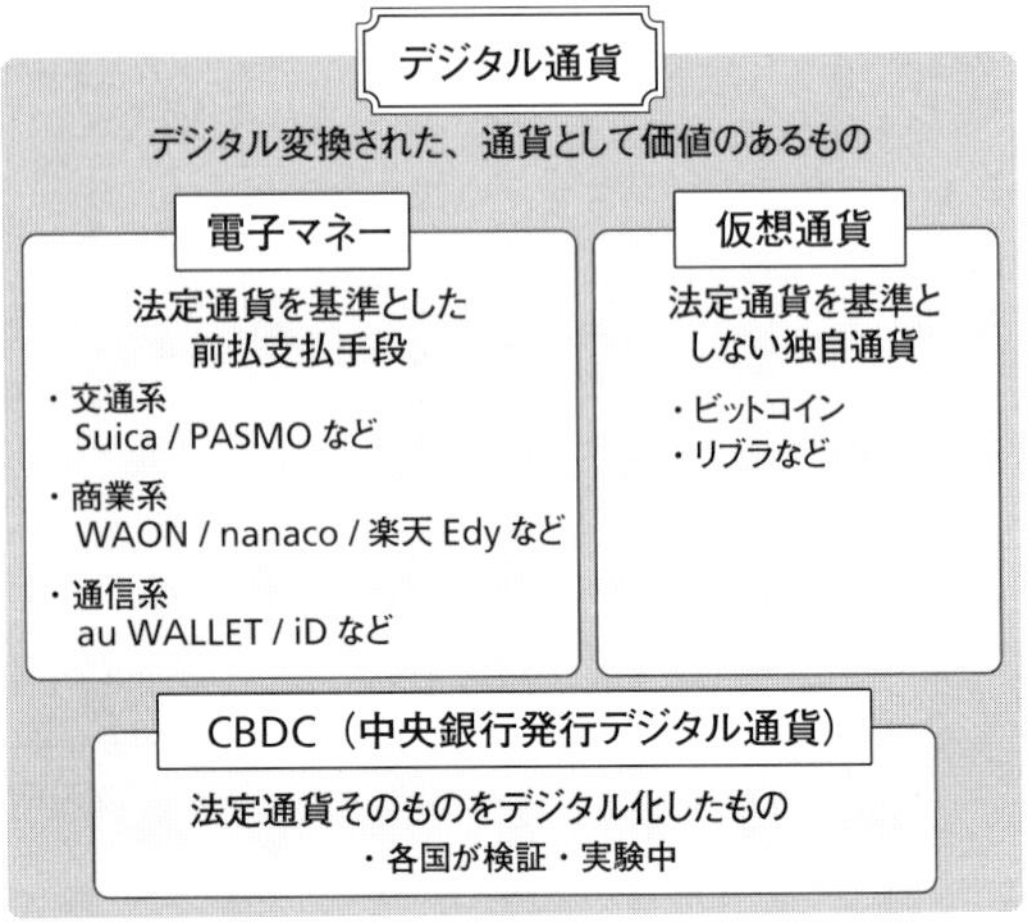

デジタル通貨の種類（KDDI「time & space」2020/5/26の記事を元に作図）

デジタル化の進化と共に消滅すると言われている業界はいくつもあるが、自分たちの存在が脅かされる事態が急に現実味を帯びてきたことにゾッとしたアメリカ銀行協会（ＡＭＢ）は、慌ててこれを阻止すべく国会議員たちにロビイング活動を開始した。

一方、ＶＩＳＡやマスターなどのクレジットカード会社は、抵抗するより世界トレンドに乗る方を選び、バハマのデジタル通貨「サンドドル」と提携したプリペイドカード発行に向けてギアを入れなおした。

一部の業界が抵抗しても、時代の波は世界規模でますます勢いを増してゆく。

中央銀行の発行するデジタル通貨を新しいチャンスにしたくてたまらない企業群は、数年先になるだろうと言われる当局や議会の承認を待ちきれず、パウエル議長の証言から数カ月後に行動を起こした。

世界最大の経営コンサルティング企業アクセンチュア社など、民間企業が立ち上げた「デジタル・ドル・プロジェクト」が、FRBのデジタルドル発行を民間主導で実施する提案書「ホワイトペーパー」を公表したのだ。

FRBがいつまでも重い腰を上げないので、痺《しび》れを切らした民間企業群が揺さぶりをかけたというわけだ。

メッセージはたった一つ。

〈ぐずぐずするな、さっさとデジタル通貨を発行せよ〉

旗振り役のアクセンチュア社は、国連や大手製薬会社、マイクロソフトなどと共同で、RFIDマイクロチップを全ての人に埋め込む国際デジタル認証プロジェクト〈ID2020〉を推進する企業だ。第I部で述べた通り世界経済フォーラムは、全ての個人情報をデジタルIDと紐づけ、高速の5Gネットワークでつなぐデジタル社会を奨励している。

IDには名前に住所に職業に、医療や年金、金融情報が組み込まれ、何もかも1か所で管理できる、最高に便利な社会になるという。

ID2020の対象は、世界人口の約6分の1という巨大市場だ。これを今、中国・ロシア側が取るか、西洋諸国の側が取るかという、壮絶なせめぎ合いになっている。

アクセンチュアが、デジタル通貨発行を目指す欧州中央銀行やスウェーデン中央銀行、カナダ銀行、シンガポール通貨監督庁と次々に技術提携をしているのを見ると、世界中の個人情報を握るビッグテックと金融業界の融合が、いよいよ現実になりつつあるのがわかるだろう。

中央銀行の虎の尾を踏んだリブラは潰された。

だがそれは、水に投げた小石が幾重にも波紋を作るように、確実に各国に同じ動きを拡げている。

今までアメリカ一強のドル体制の上に成り立っていた世界のパワーバランスを大きく変える、新たな扉が確かに開き始めていた。

アメリカのドル支配から逃げ出したい国々

「イスラム世界は、ドル支配の金融体制から抜け出す政策を取るべきだ」

2019年12月19日。

マレーシアで開催された「イスラム諸国首脳会議」の席で、イランのロウハニ大統領は、自国に経済制裁を続けるアメリカを批判、集まった20カ国の首脳陣と数百人の要人に向かって、脱ドル政策への協力を呼びかけた。

1979年以来40年以上、イランはアメリカの経済政策によって、国際的な金融取引から締め出されている。ドル決済を禁止されているために、武器関連の輸出のみならず、石油や天然ガスへの投資もままならないのだ。

会議を主催したマレーシアを始め、参加したイスラム諸国のリーダーたちもこの考えに賛同した。マレーシアのマハティール首相はこう言った。

「ドルを受け入れたら最後、ドルによる制裁で国の成長が阻まれてしまう」

そして会議では、ドル支配から逃れるために、イスラム諸国同士の貿易を現地の法定通貨で決済することや、イスラム法に基づくデジタル通貨開発についての具体的な対策が話し合われた。

ドル支配から抜けようとしているのは、イスラム諸国だけではない。

21世紀に入り大きく経済成長しているBRICs（ブラジル、ロシア、インド、中国）の国々もまた、それぞれ独自の中央銀行デジタル通貨（ＣＢＤＣ）を開発中だ。

２０２０年８月、ブラジルはデジタル・レアル発行の可能性を検討するための研究グループを設立したことを発表。中央銀行のロベルト・カンポス・ネト総裁は、２０２２年にはデジタル通貨が流通するだろうと述べている。

２０２０年４月までプーチン大統領が中央銀行のデジタル通貨発行を否定していたロシアも、米中の動きが加速するにつれて方針を転換、２０２０年後半に計画を公式に発表し、２０２２年には試験運用を開始する見込みだ。

２０１４年から構想が進められていた中国のデジタル人民元は、世界の先頭を走っている。その目的は国内の小口決済で、透明性にも欠けるデジタル人民元はドルの脅威にはならないだろうという声もあるが、それは中国という国の野心と長期計画を、あまりにも見くびった観測だろう。

かつて米国で国務長官を務めた国際政治学者ヘンリー・キッシンジャーは、こう言った。

「金融を支配すれば、全世界をコントロールできる」

通貨とは、最強の権力なのだ。

プラットフォーマー化する中国

そのことを誰よりもよく知っている中国は、手始めに決済システムそのものに狙いを定めた。国際貿易や為替取引に使われる、ドル決済の「ＳＷＩＦＴ（国際銀行間通信協会）」の代わりに、「ＣＩＰＳ（人民元クロスボーダー決済システム）」で決済させるのだ。

現在全ての国際送金は、ベルギーに本社があるＳＷＩＦＴを通じて一度ドル決済を通す仕組みになっている。２００以上の国・地域と１万１０００社以上の銀行や証券会社、市場インフラなどが参加するＳＷＩＦＴでは決済の４割がドルで行われるため、資金の流れや取引情報の大部分は、米ＦＲＢとＳＷＩＦＴに事実上筒抜けだ。

すでに国際標準として確立されているこのシステムを崩すのは難しい。

そこで中国は考えた。

ならばもう一つ別のシステムを立ち上げ、あちら側のメンバーをこちらに誘導すればいい。ブロックチェーンを使うことで、ＳＷＩＦＴとは全く別の仮想空間で決済が可能になる。アメリカから経済制裁を受け煮え湯を飲まされている国々なら、喜んで参加するだろう。

かくしてロシアもトルコもめでたく参加、ＣＩＰＳには２０２０年７月時点で90カ国、

900行以上が入っている。中国への石炭輸出量を倍増したいロシアは、今やドルの代わりに人民元決済を拡大中だ。そしてプーチンはプーチンで、ドルが仕切っているSWIFTを迂回《うかい》する独自の分散型金融構築に注力している。

CIPSの参加国を増やすには、できるだけ多くの国と通商関係を結び、中国との貿易に依存させねばならない。

しっかりとした力関係ができれば、その後人民元決済を拡げていけるからだ。

中国は国を挙げた経済プロジェクト「一帯一路」地域の国々に対し、その国のインフラ事業や資源開発に積極的に投資することで、影響力を強めていった。

その結果、アフリカの国々や、脱ドル依存を掲げるマレーシアの銀行もCIPSに参加し、現在89カ国・地域の約1000行が参加している。世界人口の約半分を抱きこむRCEP協定の巨大な経済圏では2022年までの実用化を目指し、最も利用人口の多い「人民元」の存在感が増してくるだろう。

三菱UFJ銀行とみずほ銀行の中国法人を筆頭に、CIPSに参加する銀行数が最も多い日本にも、RCEP協定施行後には、人民元決済の波がやってくる。

CIPSに集められたデジタルデータは全て、解析され、活用され、付加価値を生み出し、中国政府にとっての新たな資産となってゆく。

このパターン、どこかで見たことがないだろうか。

インターネットという無法地帯の仮想空間で、人間の行動を監視し、収集し、データを変換し、加工した「未来の行動予測」を商品として市場で売ることで、国家をはるかに超える巨大権力を手にしている、GAFAのビジネスモデルだ。

中国政府にとってデジタルという新技術は、通貨の世界でどうしても歯が立たなかった米ドル体制を切り崩し、自国の野望を実現する最強の武器になる。だから中国政府にとって治外法権で権力が及ばない仮想通貨「リブラ」は、初めから警戒されていた。

アメリカやEU、その他多くの国々と違い、規制や国際ルールに縛られないのが中国の強みだ。議会もない、野党もいない、権利を掲げて反対してくる有権者もいない中、トップダウンで物事を決め、どんどん開発、実行してゆく。

デジタル時代の勝敗を決める、最大要素はスピードだ。

2014年にデジタル人民元の研究に着手した後、中国の中央銀行である中国人民銀行は、一部地域での限定的実験を経て、20年10月に広東省深圳《しんせん》市で5万人、12月には江蘇《こうそ》省蘇州市で10万人を対象に、次のような実証実験を行った。

抽選で選ばれた市民がスマートフォンにデジタル人民元を入れる財布アプリをダウンロードしたうえで、1人200元（約3200円）分のお金を受け取り、商店やレストランでの支払いに使うのだ。

蘇州市では、ネットに接続していないスマホ同士を軽く接触させるだけのデジタル取引が実験され、通信状況に関係なく取引できることが確認された。

日本にデジタル人民元がやってくる

中国のこの一連の動きは、日本にとっても他人事ではない。

前述した改正国家戦略特区（スーパーシティ）、一帯一路構想、RCEPの三つが組み合わさるとどうなるか。

デジタル人民元の、日本国内での利用が始まるのだ。

14兆ドルという中国のGDPはRCEP加盟国の55%を占めている。

デジタル人民元の普及とGDP比率の大きさから、今後RCEPやCIPS、一帯一路域内でのデジタル人民元利用の三つが進むだろう。

デジタル人民元の決済はブロックチェーンを使うので、アメリカは手を出せない。つまりこうした地域内での、人民元の基軸通貨化が進む可能性が高いのだ。

ＲＣＥＰ協定の中には、加盟国がＩＴ事業を行う条件として、サーバーなどの自国内設置を、外国企業に強要することが禁じられている。

つまり、日本政府は中国のＩＴ企業に対し、サーバーを日本に置くことを要求できず、個人情報の流出を防げないということだ。

世界全体がデジタル化する今、この「自国内へのサーバーの設置義務」が国家にとって極めて重要な意味を持っていることに、どれほどの人が気づいていただろう。

だからこそ中国は、ＲＣＥＰ交渉の中でこの部分を最後まで譲らなかったのだ。

サーバーを国外に設置されれば、日本政府はなす術もない。

平井卓也デジタル改革担当大臣は「問題になっているファーウェイは日本の５Ｇ計画から排除するから大丈夫です」などというが、中国製の部品を使用した顔認証システムを使えばリスクは同じだろう。

民主主義や法の目をすり抜けて巨大化するＧＡＦＡと、彼らのデータを手に入れられるアメリカ政府、そしてプラットフォーム化する中国のデジタル人民元システム。今や仮想空間で世界支配を狙う米中の脅威を、日本のデジタル庁は認識しているだろうか？

インド、韓国、EUも続く

一方、中国の策士ぶりを称賛するデジタル大国インドも、やるとなったら中途半端はしないと見えて、ダイナミックな動きを見せている。

インド政府は手始めに、ビットコインのような仮想通貨の国内使用や外国為替取引を、全面的に禁止する法案を提出した。

これが可決されれば、インド国民はすでに保有しているビットコインを半年以内に売却することが義務づけられる。政府がまず市中の仮想通貨を一掃し、それから中央銀行が独自のデジタル通貨発行を目指してゆく算段だ。

しばらく様子見だった韓国は、日本やアメリカの中央銀行がデジタル通貨に手を出したのを見て焦ったのか、急に方向転換している。同政府はCBDCの試験運用プログラムを立ち上げ、今後現金の代わりに導入した場合の技術的、法的問題を確認してゆくという。

すでにユーロという共通通貨を持ち、為替市場の取引高や外貨準備でドルに次ぐシェアを持つEUもまた、待ちに待った脱ドルのチャンスを見逃していない。

2018年8月。ドイツのハイコ・マース外相は経済紙への寄稿論文の中で、力強くこう主張した。

「欧州の自立のためには、アメリカが介在しない、欧州独自の国際決済システムを作らねばならない」

だがＥＵの場合、国内では別の問題が浮上している。

中央銀行のデジタル通貨について、プライバシー保護に関する国民の抵抗が大きいのだ。

欧州中央銀行が「デジタルユーロについて人々が要望することの優先順位」を調査するパブリックコメントを募集したところ、集まった８０００件以上のコメントは、デジタルプライバシー保護（41％）、安全性（17％）、ＥＵ以外での利用（10％）の順に、プライバシーへの懸念が突出して多く、これは政府と中央銀行にとって頭の痛い問題になりそうだった。

最終ゴールは「世界統一デジタル通貨」

ドル支配から逃げ出そうとする各国のデジタル通貨構想は、単に現在の法定通貨をデジタル化するだけにとどまらず、その先にあるもう一つの共通ゴールに向けて、静かに進みつつある。

2019年、米国ワイオミング州ジャクソンホールで行われた「世界中央銀行国際会議」の場で、ゴールドマン・サックス出身のイングランド銀行総裁マーク・カーニーは、各国の中央銀行総裁に向かって、こんな発言をしている。

「現在のシステムが米国ドルだけに依存しすぎていることが問題だ。今こそ単一通貨ではなく複数の通貨で構成された、新しい国際通貨が必要なのです」

2020年1月。スイスで行われた世界経済フォーラム（WEF＝ダボス会議）では、日本を含む6カ国の中央銀行（日本銀行、カナダ銀行、スイス国民銀行、イングランド銀行、スウェーデンリスクバンク、欧州中央銀行）と国際決済銀行（BIS）が共同でデジタル通貨の研究を行う新組織設立を発表している。そこではまた、各国の中央銀行がデジタル通貨に移行するための政策立案骨子が書かれた、28ページの小冊子が配られた。

クラウス・シュワブ会長が発表した「グレート・リセット」計画のコンセプトに沿った、「グローバル統一通貨」は、今まさに現実になりつつあるのだ。

2021年1月。「グレート・リセット」をテーマに、コロナ禍でオンライン開催された「ダボス・アジェンダ」の席で、菅義偉総理は、日本のポスト・コロナのビジョンの一つとして、「デジタル改革」の実現を宣言している。

それは日本の遅れを取り戻すべく、デジタル庁をはじめとする官民のデジタル化を進め、世界に足並みを揃えて、一緒に〈グレート・リセット〉をやりますよというアピールだった。

国家の通貨発行権が消滅する

ＩＭＦ（国際通貨基金）もまた、グレート・リセットに沿った動きを見せている。クリスティーヌ・ラガルド専務理事が、初めて「通貨リセット」について公の場で言及したのは、世界中が新型コロナウイルスのパンデミックに襲われる、6年前のことだった。２０１４年1月24日。

毎年この時期にスイスのダボスで開かれる世界経済フォーラムで、各国の首脳陣と金融関係者を前に、ラガルド女史はこう言った。

「経済成長を維持するためには、〈国際通貨リセット〉が避けられないでしょう」

基軸通貨発行国であるアメリカ財政の赤字が膨れ上がり続け、最終的な財政破綻が避けられないことは、世界中が知っている。

１９６９年に、ＩＭＦが創設したＳＤＲ（特別引き出し権）は、外貨不足の際に、他の加盟国から外貨を受け取れる権利として、１９７１年にドルが切り下げられた時などに使用されている。

それから約40年後の２０１１年1月。ＩＭＦは、今度は基軸通貨ドルを丸ごとＳＤＲに置き換える、新たなプラットフォームの創設計画を発表した。

２０１７年９月29日。

ロンドンで行われたイングランド銀行国際会議で、ラガルド専務理事は、暗号通貨が中央銀行と銀行業を上書きするという予測を告げる。

「今後暗号通貨は、現在各国政府が独占中の〈通貨発行システム〉に挑戦することになるでしょう」

それは奇妙な発言だった。

なぜＩＭＦは、国家にとって最大の主権である〈通貨発行権〉の消滅に言及するのだろう？

ＩＭＦが考える、未来のデジタル通貨とは、一体何を指しているのか。

高額紙幣から消えてゆく

ラガルド女史の言うように、各国の中央銀行が競走馬の如くデジタル通貨の開発レースに突き進む中、世界各地では、社会の中からじわじわと現金が姿を消し始めている。

2016年11月8日。

インドでは国内のすべての商取引の85%が現金で行われるにもかかわらず、政府は高額紙幣（500ルピー紙幣と1000ルピー紙幣）を市場から回収することを発表した。

インドでの合計発行額の8割以上を占める高額紙幣は、今後全て無価値になる。パンジャブ州のB・S・コーリ経済顧問は、こうはっきりと述べている。

「キャッシュは終わった」

インドはまた、「アーダール」という12桁の数字を用いたIDによる国民総背番号制度を導入している。これは2009年に着手され、その後指紋や虹彩による生体認証と組み合わされ、銀行口座にも紐づけられた。2017年には電子決済制度「アドハーペイ」も開始されている。

キャッシュレス化を主導する韓国政府は2017年に「2020年までにコインレス社

会を実現する」ことを宣言。金融機関の株主である外資系金融資本の意向に沿って、韓国社会からも着々と現金が消滅しつつある。

デンマークは2017年、国内での通貨製造廃止を発表した。ヨルダンのムサンナ・ガライバ・デジタル経済・起業大臣も、前述したインド政府と同様に、こうした変化は一気に根こそぎやったほうが良いと考えるタイプだ。

ガライバ大臣は、ヨルダン国内の税金や医療費や水道代や年金など、公的機関への各種支払いにおける現金使用を、2020年以降禁止することを公表した。

難民など、スマホを持っていないため現金でしか支払いができない人々にも、同じルールが課される。

「難民はUNHCRのIDカードを使えばいい。難民IDを使ってモバイルウォレット取得の手続きをして、そこからオンラインで支払うように」

ヨルダン政府にとっての最優先事項は、とにかく何がなんでも現金をなくしデジタルに移行することなのだ。大臣は最後にこう言っている。

「いずれにしてもヨルダンは紙幣の印刷をやめる。難しいことではない。これからは現金がモバイルアカウントや銀行口座に入る。それだけのことだ」

現金が入る場所は、それだけではない。

ガライバ大臣の描く未来を一足先に体現している国がある。

日本でも人気の高い家具メーカーIKEAの発祥地、北欧のスウェーデンだ。

秒速で決済完了する体内マイクロチップ

欧州で最初に中央銀行が紙幣を発行したスウェーデンは、世界で金融のデジタル化が進む今、再び最前線を走っている。

国内決済の99・9%がキャッシュレス、2015年時点でGDPに占める現金の割合が2%を割り込んでいるスウェーデンでは、人口約1000万のうち、約4000人(2018年末時点)が手の甲に埋め込んだマイクロチップで決済しているのだ。

日本でも2022年6月から、ペットに飼い主情報の入ったマイクロチップの埋め込みが義務化されるが、スウェーデンでマイクロチップが埋め込まれるのは、犬や猫でなく人間の体内だ。

チップを入れたらどうなるか。

国営鉄道の乗車券は車内でスキャン決済できるし、オフィスの入退室も5秒で済む。

そもそもの始まりは2015年。「サイボーグになりたい願望」を持つパンクなハッカーたちが自らの体内に注射針でチップを埋め込み始めたことだった。費用は約1万8000円で、ハッキングもされにくいため、やがて一般市民にも拡がってゆく。

ここで使われる個人情報を搭載し、特殊な電磁波を当てて中身を読み取ることのできるマイクロチップは、今急速に進化する技術の一つだ。

2007年に日立製作所が、世界最小の0・05ミリ四方の非接触型粉末ICチップを開発している。

日本でも今後、マイナンバーやスーパーシティなどで大いに普及するだろう。

世界経済フォーラムのクラウス・シュワブ会長は、2016年1月10日にスイスの公共放送RTSに出演し、今後10年以内に、全人類を対象にした「埋め込み型マイクロチップ」が世に出るだろうと語っている。一度皮下に埋めてしまえば、私たちが日常でしょっちゅう失《な》くす車や家のキー、各種証明書、クレジットカードなどのアイテムをもう持ち歩かずに済む、ストレスフリーな日々が実現するのだ。

さらにキャッシュレスは、犯罪防止運動のスローガンにもなっている。スウェーデンの人気ポップス・グループＡＢＢＡのギタリスト、ビョルン・ウルヴァースが進める、キャッシュレスによる犯罪撲滅運動は国内で有名だ。

「現金なんか時代遅れだ。偽造されるし闇経済をはびこらせる。一体みんな何だって、あんな紙切れをいつまでも使いたがるんだ？」

ビョルンは息子が強盗にあった経験から、現金を「憎んで」いるのだ。

現金がなければ強盗はできないし、国家が現金を維持する巨額の費用も節約できる。

実際同国の犯罪防止協議会のデータでは、２００４年の銀行強盗件数は23件、なんと10年で7割減だ。

ストックホルム市内にあるＡＢＢＡ博物館には、キャッシュレスを目指すビョルンからのメッセージが掲示されている。

「かつてないほどに効果的な犯罪防止策」を始めるために、スウェーデンは世界初のキャッシュレス社会になるべきだ、という内容だ。

現金廃止運動に意欲を注ぐビョルンは、自国スウェーデン社会が完全に現金ゼロのキャッシュレス社会になれば他の国も追随せざるを得なくなり、犯罪撲滅と税収増の二つが世界中で実現すると、本気で信じている。

キャッシュレスは銀行にとってもメリットが大きい。決済のたびに手数料が入るし、現金を維持するための手間と費用も節減できる。そうなったら善は急げだ。スウェーデンの銀行は、都市部だけでなく郊外の農村地帯からもどんどんATMを撤去してしまった。国内に1400店舗ある銀行も、すでにその半数が現金での預金お断りの方針を出している。

第6章　お金の主権を手放すな

現金をなくせば犯罪が減る、は本当か？

一方、ナチス政権下で全体主義の苦い経験を持つドイツでは、キャッシュレス化に反対する声が少なくない。

緑の党の議員たちははっきりと、監視されない自由を手放さないために、お金に関するプライバシーは絶対に必要だと口を揃える。

匿名性と私たちのプライバシーとは、コインの裏表のような関係だ。

政府は匿名性を排除する大義名分として、テロや脱税、マネーロンダリング（資金洗浄）などの犯罪対策として重要だという。

だが本当にそうだろうか。

スウェーデンでは、確かにキャッシュレスの浸透とともに強盗事件の発生件数が減った。だがその統計を見ると、同時に詐欺事件の発生件数も上昇している。デジタル化が進むごとに、サイバー犯罪の攻撃性が年々増しているのだ。

デジタルは方法論に過ぎず、道具を変えても法を破るのは人間だ。脱税やマネーロンダリングといった犯罪は、たとえ現金を廃止しても、その根底の構造にメスを入れなければ根絶できないだろう。

キャッシュレス先進国スウェーデンでも、今や世論調査で7割近くの人々が、現金という選択肢を残したいと回答している。

理由はこうだ。

「通貨が完全にデジタル化されたら、システムを止められた時自分を守る術がなくなる」

スウェーデンの税関勤務を経て警察のトップも務めた、元インターポール総裁ビョルン・エリクソンは、2015年にクローナ貨幣廃止を阻止する団体〈Kontantupproret〉を立ち上げた。

会員はATMが撤去された地方の住民や、今まで現金取引を中心に商売をしてきた小規模ビジネスのオーナーたち、そして現金を使うことに慣れ親しんだ高齢者だ。

きっかけは政府への信頼度が他国より高いことで、キャッシュレス社会化に迷いがなかったスウェーデンで起きた、ある衝撃的な事件だった。2012年、政府のデジタルシステムがハッカーに侵入されたのだ。犯人はそこから手に入れた個人情報を元に、国内最大手のノルディア銀行の口座にアクセスしようとしていたところを捕まった。

また、2015年にゴットランド島で起きた強盗事件では、被害者がキャッシュレスアプリでの送金を強要されたが、犯人は合意の上だったと主張、結局証拠不十分で釈放されている。

急ピッチでデジタル化に向かうスウェーデン社会で、エリクソン氏らは現物を手にできる現金こそが自分たちの安心安全を守ると考え始めた。銀行やクレジットカード会社やアプリの設定画面に、個人情報を提供しなくて済むからだ。

クレジットカード大国アメリカでも、一部自治体で、クレジットカードが作れず、スマホも持たない人たちを守ろうとする動きが出始めている。

2019年3月。ペンシルベニア州フィラデルフィアの市議会では、市内の小売店に、現金での支払いを受け付けることを義務づける法律が成立した。

そもそもイギリス政府の調査でも、テロや違法資金の洗浄に使われる道具のトップ3は、銀行、会計事務所、現金は3番目で、決して上位ではない。

なのになぜ、ことさら現金だけが槍玉《やりだま》にあげられるのか。

ウォール街では今や現金廃止論者の間で「テロとの戦い」ならぬ「現金との戦い」という言葉が飛び交っている。

現金を悪者にする、真の目的は他にあるのだ。

〈政府は必ず嘘をつく〉

敬愛する歴史学者ハワード・ジン博士の残してくれた言葉が頭に浮かぶ。

どんなに便利でも、主権まで手放せば本末転倒になるだろう。ことお金に関しては、自国政府がいつも善い行動をとるなどという保証はどこにもないからだ。

2024年にタンス預金が没収される？

2024年に来るXデーをご存知だろうか？

2019年4月9日。

閣議後の記者会見の席で、麻生太郎財務大臣がある発表をした。

2024年度に、千円、五千円、一万円の3種のお札が新デザインに切り替わるという。

このニュースを聞いた時、あることを思い出してゾッとしたという声がある。

終戦直後の1946年。日本で行われた「預金封鎖」だ。

当時日本は、第二次世界大戦の資金調達のため国債を大量に発行し、国の財政が悪化していた。敗戦後に残った莫大な借金を帳消しにし、インフレを抑えながら国を復興させるために、政府が実施したのがこの政策だった。

政府は預金者が銀行に殺到するのを防ぐため、まずは予告なしに突然次のような文言を発表した。

「預金封鎖を行います」

ピンときた国民は慌てて銀行に走り、預金をできる限り引き出した。

だがここで政府は、さらなる発表をする。

「お札は新しいデザインに切り替わります」

新しいお札に切り替わるということは、それ以降は古いお札が無効になるということだ。預金封鎖前に急いで銀行から下ろした現金も、自宅に隠し持っている現金も、銀行に持っていって新しいお札に交換しなければ、もう使えなくなってしまう。

その翌日、政府は預金封鎖を開始した。人々が銀行に持ってきた旧貨幣を数えると、一人一人の資産が明らかになる。これを記録し、データが揃ったところで、いよいよ本命の政策を実行する。10万円を超える預金に、財産税をかけたのだ。財産税は、資産総額が大きいほど税率も高くなる。例えば1500万円を超える資産を持っている人にかけられた財産税は90%、つまりほとんど持っていかれてしまう。多額の資産を持つ富裕層は、まさに一網打尽だった。財閥は解体され、資産家は国の容赦ない手によって転落してゆく。

銀行に預けた預金を下ろそうとしてももう遅い、政府が先に手を回していた。

1カ月の引き出し上限額が300円に設定されていたのだ。

現金の他にも、土地や貴金属など全ての財産に財産税がかけられ、逃げることは不可能だった。

政府は預金封鎖の理由について、「戦争で背負った国の借金は、全国民で平等に背負いましょう」「これも全て、日本経済の復興のためなのです」などと美しい精神論で飾り立てていたが、後になって当時の渋沢敬三大蔵大臣の証言により、この政策の真の目的が財産税徴収だったことが明らかになっている。

まさかそんな恐ろしいことが、と思うだろうか？

だが預金封鎖は、決して珍しいことではない。

2001年にはアルゼンチン、2002年にはウルグアイ、2013年にはキプロスで、それぞれ実施されている。

近現代史を見ればわかるように、人間の歴史は、一定のサイクルを経て、同じことを繰り返す。

2020年1月。

当時の高市早苗総務大臣は、2016年1月から始まったマイナンバーと国民の銀行口座の紐づけ義務化を検討するよう、財務省と金融庁に要請したことを発表した。

国民一人一人に12桁の番号を割り振り、税金、住民票などをまとめて管理するマイナンバーと銀行口座を連動させれば、個人資産把握が可能になる。

紐づけされる情報は、この他にも医療情報や運転免許証、最近では文科省が子供の成績との紐づけを検討し始めるなど、次々にその範囲が拡大中だ。

ちなみに政府のロードマップによると、全ての個人情報が紐づけられたマイナンバーの導入は、新札が登場する前年の2023年に完了するよう設定されている。

マイナンバーの口座紐づけによる国民の財産把握、麻生大臣の新札発行の発表、戦争の代わりにオリンピックとコロナパンデミック対策のための、大規模な財政出動。

多くの人が「預金封鎖の再来」を不安視するのは、不気味なほど1946年と同じ条件が揃っているからに他ならない。2024年に登場する新一万円札のデザインに使われる渋沢栄一氏が、かつて預金封鎖を実施した渋沢敬三大蔵大臣の祖父だというのも、当時国民が受けたショックを思うと、何とも言えないブラックジョークだろう。

キャッシュレスの次はデジタル財産税

1946年の突然の預金封鎖と財産税徴収という苦い経験があるせいで、日本人は家の中に現金を置いておく傾向が強い。

日銀の「資金循環統計」によると、2020年12月末時点で、日本の家計が保有する現金、いわゆる「タンス預金」が、過去最高額の101兆円を記録した。

これをあぶり出したい政府にとって、新札切り替えは大きなチャンスになるだろう。

財産税に関しては、新札と旧札を交換する際の交換レートを調整することで簡単に徴収できる。例えば資産の9割の財産税の場合は交換レートを1対10にすればいい。

そんなことできるわけがない、という声もある。

財産権の侵害だ、憲法に引っかかるじゃないか、と。

そう、確かに、今の、ま、ま、の憲法では財産税は違憲になる。

パンデミックや金融危機など、想定外の大災害が起きて〈緊急事態宣言〉が発令され、政府が全権を掌握するような特別なケースにでもならない限り。

憲法改正を推進する、自民党の日本国憲法改正草案99条第1項には、こう書いてある。

〈緊急事態の宣言が発せられたときは、法律の定めるところにより、内閣は法律と同一の効力を有する政令を制定することができるほか、内閣総理大臣は財政上必要な支出その他の処分を行い、地方自治体の長に対して必要な指示をすることができる〉

「財産税など、国民の怒りを買って選挙で落選するのが怖い与党にできるわけがない」

などと一笑する声もある。

だが本当にそうだろうか。

財産税は、必ずしも政府が直接手を下さなければできないわけではない。

例えば最近、お菓子を買った時、前よりも中身が少ない上げ底だと感じたことはないだろうか？ それは物価が上がっているからだ。値段を上げると売れなくなるので、メーカーは消費者に気づかれないよう、中身を少しずつ減らしている。

物価が上がるということは、その分お金の価値が下がるということだ。物価が二倍になると、それまで同じ値段で買えていたものが半分しか買えなくなる。

それはつまり、私たちの預金の価値も半分になってしまうということだ。逆に物価が上がると借金は事実上減る。だから国の借金も、帳簿上の数字はそのままでもお金の価値が下がるため、実質半分になるのだ。

国がわざと市中にお金を大量に流せば、インフレが起きて国の債務はぐっと減る。だがそんなことをしたら大ごとになるので、どこの国でもお金の供給量が増えすぎないよう、しっかり目を光らせているのだ。

たった一つの例外を除いては。

デジタルマネーが社会の隅々まで拡がって、市中に出回るお金の量が把握しきれなくなった時、財産税徴収のチャンスがやってくる。

ＰａｙＰａｙのような、実体でなくスマホ内の仮想空間に貯まってゆくお金が増えてゆくほどに、市中のお金の総量はうやむやになっていくだろう。

デジタル時代の財産税は、音を立てずにやってくる。

キャッシュレス決済という華やかな新技術に隠れ、そっと私たちの足元に忍び寄ってくるのだ。

高齢者を狙う、デジタル訪問販売詐欺に注意！

政府はデジタル化を進めることで、お年寄りや子供、妊婦や高齢者、障害者など、社会の中で弱い立場にいる人たちの暮らしが、より快適になるという。

だが本当にそうだろうか。

その一方で、それと一八〇度逆行する、高齢者を危険に晒す悪法が静かに成立したのをご存知だろうか？

２０２１年６月９日に国会を通過した、「改正特定商取引法」だ。

特定商取引とは、訪問販売、電話勧誘販売、マルチ商法など、高齢者を中心に年間10万件もの被害報告が出される分野だ。

悪質な詐欺商法から消費者を守るために、それまでは契約書を紙で渡すことが義務づけられていたが、改正法ではなんとこれを、消費者側の同意があればデジタル化できるようルール変更してしまった。

２０２０年に元会長が逮捕されてニュースになった、ジャパンライフ事件を思い出して欲しい。

数百万円のベストや磁気ネックレスを訪問販売し、購入商品を周囲に宣伝すれば配当を払うなどとして、44都道府県で高齢者ら延べ約1万人から合計約2100億円を違法に集めた、戦後最大級の消費者詐欺事件だ。

事件発覚当時、被害拡大の原因が行政介入の遅れだと批判されたにもかかわらず、井上信治消費者担当大臣は、今回の契約書電子化を「消費者の利便性向上のため」などと言い、弁護士や消費者団体、野党などから批判を浴びた。

騙されてはいけない。

デジタル化で利便性が向上するのは、消費者でなく販売する側だ。

コロナ渦で海外からの特殊詐欺なども増えている中、デジタルに弱い高齢者は、格好のターゲットになるだろう。

そもそもメールで送られた契約書を開いて印刷することも難しい高齢者が多い中、電子空間での被害防止はもっと難しくなる。

今までは本人が安易に契約しても、運良く途中で発覚することがあったのは、紙の契約書の存在に、家族や民生委員が気づいたからだ。

デジタル化してしまえば、契約書の存在には簡単に気づけなくなる。

赤枠の中に大きなサイズの文字で書くことが義務化されているクーリングオフに関する

事項も、パソコンよりスマホが中心の今、小さな画面の細かい文字なら見落とされてしまうだろう。

法律は単なる紙の上の文字ではない。

現行法の規制には、作られた然るべき理由があり、その先には一億の民の存在があるのだ。

だがその命と安全を預かるはずの国会で、それを守るべき立場の国会議員が想像力を失っている。厄介なのは、こうしたことがマスコミの忖度と〈報道しない自由〉の行使によって、私たちに届かなくなっていることだ。

この改正特商法は、ほとんどの国民に知られていない。

なぜなら国会を通過したまさにその日、テレビでは国民的人気俳優である田村正和氏の訃報が流れ、国民の関心を一気にさらってしまったからだ。

だがこの改正法が施行されるまでまだ2年あり、自分と家族を守るためにできることは少なくない。何が起きているかを知り、伝え、声をあげるのだ。

コロコロ替わる大臣に、私たちの暮らしと安全を脅かさせてはならない。

韓国と手を組んだゆうちょ銀行の信用スコア

前述した中国の信用スコア制度は、実は意外な方面から日本に上陸しつつある。

2021年5月27日。

韓国大手の新韓銀行が、日本のゆうちょ銀行と、小売金融・デジタル分野で新しいビジネスモデルを開拓する業務協約の覚書を交わしたことを発表した。

具体的には、個人の信用評価モデルをベースにした、新事業分野で協力してゆくという。約9800万人の個人顧客を持つ、日本最大のプラットフォームであるゆうちょ銀行は、金融業界では以前から熱い視線を浴びていた。

拙著『株式会社アメリカの日本解体計画』でも書いたように、600兆円という総預金額に目をつけたウォール街が、小泉政権下で当時の竹中平蔵経済財政政策担当大臣に民営化するよう手紙を送って手に入れた宝の一つがゆうちょ銀行だ。

新韓銀行？

この名前を聞いてもピンと来ない人が多いだろう。

日本では新韓銀行が100％出資する現地法人の「SBJ銀行」として全国展開している外資系銀行だ。羽田空港や福岡空港内にも支店を持ち、住宅ローンも提供している。

シティバンク銀行に次いで外資系銀行としては日本で二番目に金融庁の認可を受け、今回日本最大のプラットフォームであるゆうちょ銀行と提携した韓国資本のSBJ銀行。ダイナミックな日本進出を果たしてきた背景には、同銀行が財務省の天下り先になっているという、最強の事実が見え隠れする。

現在の代表取締役社長である富屋誠一郎氏は、2016年6月に財務省を退官した数カ月後にSBJ銀行顧問として迎えられ、その後同行のトップに昇進したエリート財務官僚だ。

新韓銀行の信用評価技術と、ゆうちょ銀行の持つ資本力を合わせれば、大きなビジネスチャンスが生まれるだろう。

だがそれは同時に、ゆうちょ銀行に口座を持つ私たち顧客の個人情報が、韓国に流れるリスクとイコールだ。

今も解決していないLINEの個人情報流出事件を思い出してほしい。

個人情報保護について日本と異なる価値観を持つ国と付き合う難しさを、私たちはあの時嫌というほど見せられたはずではなかったか？

ゆうちょ銀行に融資を依頼する際に国内事業者が提供するデータには、開発計画や技術など、企業にとって何よりも価値ある資産が山ほど入っている。

これが流出するリスクは、日本の国力を損なうどころか、安全保障案件に匹敵する大問題だろう。

2021年5月。

国会ではこれに追い打ちをかけるかのように、銀行が買うことのできる非上場企業の株式の上限を5%から一気に100%まで上げた「改正銀行法」が成立している。

これはコロナと不況で弱った国内中小企業を、銀行が最安値で買い叩き、リストラなどのコストカットで株価を釣り上げてから転売することを可能にする法律だ。外資規制がないために、今や優れた技術力を持つ日本の中小企業を、外資のハゲタカたちが目の色を変えて物色しているだろう。

郵政民営化が国内で議論になった時、推進派のキーマンたちは、「民営化すれば郵便事業が外資に奪われる」と懸念する反対派に向かって「そんなことは絶対にありえない」と繰り返していた。

だが水道民営化の例にもあるように、グローバル金融の世界で「絶対にあり得ない」は通用しない。

アメリカの要請で民営化されたゆうちょ銀行に、今度は韓国が手を出してくる。

LINEの個人情報が中国と韓国に流れた事件は、私たち日本人の多くが中韓に対する警戒心を高める結果になった。

だが思い出してほしい。韓国政府は自国を大規模にキャッシュレス化したことで、クレジットカード破産者が急増し、今や不良債権という爆弾を抱えてしまっていることを。

一体、背景にいるのは誰なのか？

お金の流れを追ってみると、隠された全体像がよくわかる。

新韓銀行の株は、51％が外国資本に握られている。

韓国は四半世紀前から、ウォール街の「金融植民地」なのだ。

新韓銀行とゆうちょ銀行の業務提携ニュースは、なぜか日本ではほとんど報道されていない。おそらく地方の郵便局に問い合わせても、末端の職員は知らないだろう。

デジタルマネーの時代には、とてつもない資産になる私たちの個人情報を狙って、あちこちから手が伸びてくる。

この貴重な資産を守ろうとする時、キャッシュレスで多大な負担を背負う地方銀行や、地元の信用金庫の価値が、見えるだろうか。

お金の主権を手放すな

日本政府が急ピッチで進めるキャッシュレス。

デジタル人民元や各国のデジタル通貨と同時並行で、IMFやBIS（国際決済銀行）、世界経済フォーラムが進める全世界共通の「統一デジタル通貨」。

デジタルマネーの台頭で現金が減ってゆくことで失われる、私たちのプライバシー。

想像してみてほしい。

今日常の中で私たちが持つささやかな、お金についての「匿名性」や「主権」や「自由」を手放さないと決めることが、どれだけ大きく未来の社会に影響するかを。

スウェーデンにタンス預金がない最大の理由は、将来への不安が少ないからだ。

犯罪対策だ、利便性だなどと理由をつけてキャッシュレス化を進め、現金という選択肢を国民から奪うより、子育ても老後も安心できるよう国家予算を組み替えて、景気対策と将来への不安をなくす方がよほど有効ではないか。

デジタルは魔法の杖《つえ》でなく、手段にすぎない。

そして新しい技術は、実施する政府への信頼があってこそ、多くの民にとっての幸福と、国益をもたらすのだ。

信用スコアシステムもデジタル給与もベーシックインカムも、私たちは目新しい道具そのものよりも、自分のお金が誰によってどう使われるかを、注意深く見なければならない。

そして少しでも違和感を抱いたら、躊躇せずノーと言うのだ。

まだ声を上げられるうちに。

言動を監視する信用スコア制度が導入されてしまう前に。

そうでなければ、私たちがお金にコントロールされている今の世界の力学が、そのままデジタルに移行してしまう。

デジタルの世界には、ゼロかイチしか存在しない。だからこそ、ゼロイチの狭間《はざま》に落ちてしまった人々をすくい上げる想像力こそ、キャッシュレスの制度設計には不可欠になる。

お金とは、思想なのだ。

人間が今まで、どれだけ翻弄されてきたか。

なぜ私たちはお金のために働いているのか。

デジタル世界が一つの通貨で統一される、「通貨リセット」が、GAFAが支配する仮想空間の無法地帯と結びつく前に、目前の利益に目が眩み変節した「今だけ金だけ自分だけ経済」を、世を治め民を救う、真の「経世済民」に戻さねばならない。

第Ⅲ部 教育が狙われる

AI先生 VS.リアル先生

第7章　グーグルが教室に来る⁉

4600億円利権の「GIGAスクール構想」

日本政府が力を入れる「GIGAスクール構想」が、急ピッチで進んでいる。

この構想は、生徒一人一台のタブレット支給とクラウドの活用、高速大容量インターネット通信環境を全国の国公私立の小中学校に整備することを掲げ、2019年12月に発表された計画だ。

文部科学省だけではなく、内閣官房IT総合戦略室、総務省、そして経済産業省が旗振り役となっている。

4600億円超というダイナミックな予算額、配布されるタブレットに付く補助金だけ見ても、一台につき公立学校で最大4万5000円（私立ではその半額）。小中学生全員に一台ずつだから、それだけでも相当な額になる。

2020年度の文科省第1次補正予算のうち「GIGAスクール構想の加速による学びの保障」の分が2292億円、うち「GIGAスクール構想の早期実現」予算が2022億円、「『一人一台端末』の早期実現」だけで1951億円という大盤振る舞いだ。

端末機器にネットワーク環境設備、オンライン学習アプリという幅広い事業内容と、長期に渡り税金が投入される日本の「教育」市場で、グーグルやマイクロソフト、アップルといったIT企業の巨人たちが争奪戦を繰り広げている。

当初は2023年度末までのタブレット配布を目指していたが、新型コロナウイルスの感染拡大防止で各地の学校が閉鎖したことをきっかけに前倒しされ、2021年には全国の自治体で、生徒一人一台の配布が完了する見込みだという。

国内でも政府と仲良しのいつものお友達メンバーが、この新しい教育ビジネスに万全の協力体制をとっている。プログラミング教育には楽天の三木谷浩史氏、規制緩和されたばかりのデジタル教科書にはソフトバンクの孫正義氏。この2社はこれから国内の学校に設置されてゆく5G接続も手がける予定だ。菅総理のブレーンと呼ばれるデジタル庁推進の急先鋒、竹中平蔵氏が会長を務めるパソナグループは、オンライン教育で減らされる正規教員の補充や、外国人教師の派遣ビジネスで大いに活躍するだろう。

テクノロジーと教育を組み合わせたエドテック（EdTech）業界も、一校あたり200万円の補助金が出るデジタル教材導入事業に向け、嬉々として子供たちの学習履歴管理システムやオンライン学習アプリを開発中だ（次章以降で詳述）。学校のネットワーク環境整備（無線アクセスポイントの設置やLAN工事、コンピューターの設定など）を一括受注する大手ゼネコンもまた、教育ビジネスの大口受注に胸を高鳴らせている。

膨大な生徒たちの個人データをグーグルが収集する

福岡県久留米市では、市内の全公立学校にグーグルのOSを搭載したクロームブックを一人一台導入した。プラットフォームを提供するグーグルにとって、そこで収集される全小中学生の膨大なデータは、タブレットの納入額をはるかに超える価値を持っている。

だが海外の巨大企業の下に生徒たちの個人データが集められることに対し、自治体側の危機感はそれほどないようだ。

2月にグーグルとの提携を発表した外資系投資銀行出身の大久保勉市長は、データ収集について聞かれた際に、こう答えている。

「GAFAのプラットフォームを使いながら（中略）日本の教育産業が電子教科書をつく

ってゆけばよい〈以下略〉」

だが、そのプラットフォームが問題なのだ。

生徒がタブレットを使うたびに、情報がどんどん蓄積され、個人の「プロフィール」が作られてゆく。

グーグルは通常これらの情報と他のデータベースに蓄積された情報を組み合わせることで、正確で詳細な個人のプロフィールを分析し、加工し、商品化して利益を上げている。

インターネットの閲覧履歴ほど、人の関心の優先順位がわかる情報はない。

グーグルは検索履歴や訪問履歴をもとに、利用者が最も関心を持ちそうな広告をブラウザ上に表示するのだ。

グーグルのアジア太平洋マーケティング統括本部長はテレビに出演し、「タブレット提供に留まらず、情報通信に関わるサービス全般を提供したい」と強調。蓄積される個人データの扱いについては「文科省のガイドラインに準拠しています」と回答するに留めた。

文科省のガイドラインの該当箇所を見てみると、確かにこう書いてある。

〈既にクラウド活用を進めている地方自治体においては、当該地方自治体の個人情報保護条例等に基づき、個人情報保護審査会の許可を得ることや、保護者の事前了解を得ることなどを通じて、学校現場でのクラウド活用を可能としている地方自治体もあることから、学校設備者におかれてはこのような事例も参考にしつつ適切な運用を行うこと〉

つまり、各自治体の〈個人情報保護条例〉に従うように、ということだ。

第I部で述べたように、日本の自治体は、そこに住む住民の居住情報や健康保険、年金や所得などの極めて個人的な内容を扱うため、個人情報の収集については原則として必ず「本人の同意」を必要としている。

また、「センシティブ情報」とされる思想信条や犯罪歴、病歴、社会的身分などの情報は、地域で生活をしたり仕事に就いたりする際に直接差別などにつながる危険があるため、原則として収集は許可されていない。

グーグル社のマーケティング統括本部長が言う、日本国内の「ガイドラインに従う」という発言はすなわち、「弊社が集めた生徒の個人情報に関して、保護する責任はあくまでも日本政府側にありますよ」という意味だ。

だが繰り返すようだが、一体、どれほどの国民が知っているだろう？

自治体のこの個人情報保護条例が、2021年5月12日に国会を通過した「デジタル改革関連法」で、大幅に改正されていることを。

緩められた自治体の個人情報保護ルール

政府は2021年9月発足予定のデジタル庁に権限を集中させるため、データの扱いに関するルールを全国で統一することにした。今まで各自治体が定めていた個人情報保護のルールは一旦リセットされ、今後は全ての自治体が国のルールに合わせることになる。

また、「センシティブ情報」の収集禁止も解禁され、利用目的が明確ならば、今まで直接収集が原則だった個人情報を、間接的に手に入れることも可能になった。

2020年12月11日に開かれた内閣府の〈第6回マイナンバー制度及び国と地方のデジタル基盤抜本改善ワーキンググループ〉では、マイナンバーと生徒の成績を紐づけることが検討されている。担任が変わっても学習記録が確認しやすくなるからだという。

健康保険とマイナンバーの紐づけもすでに開始されており、間接的な子供たちの総合データの収集も、近い将来可能になるだろう。

そもそも2020年7月に閣議決定された「世界最先端デジタル国家創造宣言・官民データ活用推進基本計画」を見てもわかるように、政府は〈オンライン教育〉を強力に推進している。生徒一人一人の理解度に合わせた個別学習プログラム実施には、タブレットを利用する個人が特定される必要があるため、今回の個人情報保護ルールに関わる改正法が、２０２２年から２０２３年にかけて段階的に施行されるのだ。

もちろんこうした最新情報を、グーグルのアジア太平洋マーケティング統括本部長が、事前に隈なく調べあげていることは言うまでもない。

公立学校の敷地に5G基地局が建てられる

タブレットだけではない。それに伴う高速大容量インターネット通信環境をチャンスと捉え、即座に動いた企業が楽天だ。

同社は全国の自治体を対象に、楽天モバイル基地局を学校の敷地内に設置することを条件にした、校内通信ネットワークに使う光回線を原則無料で提供する「ＧＩＧＡスクール構想支援プラン」を発表した。

真っ先に手を挙げたのは千葉県千葉市だ。

２０２０年３月、熊谷俊人千葉市長（当時）は楽天と協定を締結。千葉市内の公立学校は通信ネットワークの環境整備や４Ｇから５Ｇ基地局の段階的設置、５Ｇ対応の学習教材やオンライン授業計画などのサービスを、楽天モバイルから導入する方針を固めた。千葉市に続いて静岡県浜松市も、楽天モバイルとこの契約について協議を進めており、同社は今後このプランを、全国の小中、高校に拡げることを目指してゆくという。

一方、千葉市の住民や保護者は市からこの件を知らされておらず、事後通告だったことに批判の声が上がっている。

特に5G基地局については、通信スピードが速くなる一方で、子供たちの健康への影響を不安視する声があるからだ。

電磁波などへの懸念から、ベルギー、スイス、イタリア、アメリカ・カリフォルニア州などで5G基地局設置が禁止されていることは日本で報道されないが、公立学校という公共施設内に設置するものである以上、リスクやデメリットも含めた、丁寧な説明が必要だろう。

IT大手で働く友人は、5Gを過度に怖がるのはナンセンスだと笑った。

「反対派はファクトを見ずに感情でものを言っているだけだ。新技術に関しては常に、未知のリスクと創造的開発とを天秤にかける必要がある。もし本当に危険なら、本家本元のアメリカで、とっくに規制されているはずじゃないか」

だが本当にそうだろうか。

歴史を見ればわかるように、科学的事実を世に出す決定権は、いつも政治的な手に握られている。そしてアメリカはＥＵなどと違い、予防原則よりイノベーションを優先してきた国なのだ。

２０１８年。アメリカ保健福祉省が中心となったＮＰＴ（米国国家毒性プログラム）が、２５００万ドルの予算をかけて実施した、８年にわたる大規模調査の研究結果を公表した。

実証されたのは、電波が永久的なＤＮＡ損傷を引き起こすという、電波と人体への影響の相関関係だ。

だがこの研究結果から予防原則に沿って「電波規制」につながることは、今のアメリカではおそらくない。

通信事業を監督する政府独立機関のＦＣＣ（連邦通信委員会）には医師や科学者が一人もおらず、委員会のメンバーはエンジニアと弁護士が占めているからだ。たとえ規制に向かう動きが出ても、ワシントンにいる５００人の通信ロビイストが全力で阻止するだろう。

すでに彼らの尽力で１９９６年に成立した「電気通信法」が、業界をしっかり守っている。もしこうした通信機器によって消費者に健康被害が出ても訴訟は起こせないように、同法がメーカーの責任を免責しているのだ。

電波は今や個人情報と並ぶ巨大なビジネスになっている。ＦＣＣと同様に、ＮＲＰＢ

（英国放射線防護局）、ＩＬＯ（国際労働機関）、ＷＨＯ（世界保健機関）、ＩＲＰＡ（国際放射線防護学会）など、電波の安全基準を決定する国際機関などは、最低限大口寄付者をチェックしておいた方がいいだろう。

最大スポンサーであるゲイツ財団の代表が創設したマイクロソフトが、５Ｇ推進の急先鋒である事実を始め、科学的ファクトの周辺事実を見たうえでの、総合的判断が必要だからだ。

５Ｇを提供するメーカーと政府の距離が近いここ日本にとって、決して他人事ではないこうした利権構造を、多角的な視点で捉えていけるかどうか。

東京ですでに増えつつある基地局は、あなたの住む地域でスーパーシティが始動すれば、生活の一部になる。専門的な知識がないからと諦めてしまわずに、しっかりと注視してゆかなければならない。

思い出してほしい。

イノベーションの名の下に目先の利権が優先され、予防原則が脇に追いやられてきた光景を、私たちはこれまで何度目にしてきただろう？

教師は全国で1教科ごとに一人いればいい

もう一つ、GIGAスクール構想で菅政権が打ち出したのが、教科書のデジタル化だ。オンライン授業用のアプリと連携させたタブレットを、これまでの鉛筆やノートと同じように使う。使えば使うほど生徒個人の学習データが蓄積され、その子のレベルに合わせた問題が出されるので、効率良く学ぶことができる仕組みになっている。

今までは、デジタル教科書は〈紙の教科書の2分の1以下〉でなければならないと法律で決められていたが、政府はこれを撤廃した。

今後はデジタル庁と文科省で足並みを揃え、デジタル教科書を大いに増やしてゆく計画だ。

だがデジタル教科書には、一つ大事な視点が抜け落ちている。

デジタル教科書を使う頻度と反比例するように、教師の多様性が不要になっていくことだ。問題と答えがパッケージで差し出されるデジタル教科書を前に教師が求められるのは、授業を面白くする工夫ではなく、タブレットを使いこなす技術だからだ。

教員研修は今もさかんに行われていて、先生たちは土日の休みを潰してまで、大変な思いをして通っている。どうすれば子供たちが授業に興味を持ってくれるのか、ひたすらそれを考えるような研修だ。

私もそんな研修で何回も講演をしたことがある。そこで話したアメリカや世界の教育の現状に、また自分の授業の工夫を考えましたという先生たちからの手紙を後で山ほどいただいた。

そんな研修もなくなって、教師の多様性がなくなれば、次は当然、その数を減らしましょうという流れになるだろう。

デジタル庁設立の中枢にいるパソナグループの竹中平蔵会長は、オンライン授業を主流にしてゆくと、教員の数は今よりずっと少なくて済むと言う。

一人の優秀な教師が大勢の生徒たちを遠隔で教えられるからだ。

人手が足りない過疎地の学校も、少数の教師が遠隔でオンライン授業をすれば、廃校にせず存続させられる。竹中氏はそう主張する。

〈究極的には通常の知識を教える教師は各教科に全国で一人いればよいのです〉

優秀な教師がオンラインで授業を行うのを、全国の子供たちが液晶画面で見るというスタイルによって、教育の平等が実現する。

日本全国どこにいても、優秀な教師から学ぶチャンスが子供たちに平等に与えられるというのだ。

その結果、教師の仕事は教えることではなく、動画の内容を生徒が理解しているかをチェックすることに変わってゆく。竹中氏の提案は、教員免許制度も改正し、デジタル・リテラシーの高い人材を教師にすべきだというものだ。

時代の流れについていけず競争原理を嫌うベテラン教師や教職員組合が、既得権益を死守しようと教育改革の足を引っ張るせいで、日本はどんどん世界から遅れてしまうのだ、と。

だが本当にそうだろうか。

人間は対面で触れ合うことで初めて、共感を育む脳機能がオンになるという。教える側に多様性が必要ないならば、教育はもはや一方通行の「情報」だ。

パンデミックによって世界各地でオンライン教育が実施されたが、ＹｏｕＴｕｂｅで動画を見ているのと何が違うのか、という不満の声があちこちから上がっている。

竹中氏の言うように、全国で各教科につき一人の教師がいれば、あとはタブレットで十分だというのは本当だろうか？　果たして子供たちが会いたいのは、タブレットやアプリに詳しい、ベネッセやＮＴＴの出向社員だろうか？

新型コロナウイルスの感染拡大防止の一つとしてデジタル化の話が一気に出てくる前、日本の教育は画一化されているという批判をよく耳にした。

高度経済成長時に大量生産の会社員を育てたような内容で、教師は浮世離れして社会性がなく、ましてや政治的に偏っている日教組（日本教職員組合）など論外だと。

もちろん問題のある学校も少なくないし、教育の中身は時代と共に変わる必要があるだろう。

だがその一方で、教育現場がますます締めつけられ、非正規化が進み、過労死やうつに苦しむ教師たちの数が増えてゆくというもう一つの現実は放置されている。政府はそれを解決する代わりに、教育ビジネスの関係者と距離を縮めることに忙しく、教師たちは今や、新しいテクノロジーについていけないことで批判され、ますます追いつめられているのだ。

日本でも２０２０年度から小学校で、21年度からは中学校で、22年度には高校で、プログラミング教育が必修となる。

だが情報科の教員は足りず、プログラミング科目やデジタル教科書を導入しても、教えられる教師がいない。

そうして新技術に疎い教師たちが「時代遅れ」だと叩かれるほどに、デジタル教育は輝いて見える。

技術がどんどん進化して、2・0、3・0……とバージョンアップするほどに、中身が大して変わっていなくとも、IT知識を持たない国民は、ますます反対できなくなるだろう。後れをとるから急げ急げとせっつかれているが、デジタル教科書やプログラミング科目を今すぐ入れないと取り返しのつかないこととは、それによって逃すビジネスチャンス以外に、一体いくつあるのだろう?

「パンデミックで邪魔な規制は消滅した」

世界経済の発展を推進する国際機関もまた、竹中氏と同じ考えだ。

2020年、新型コロナウイルス感染症がパンデミックと化した時、急速に実現されるオンライン教育について、OECD(経済協力開発機構)の教育スキル局局長アンドレア・シュライヒャー氏は、こう言った。

「なんと素晴らしい瞬間だ、これで邪魔な規制は消滅した」

シュライヒャー局長にとってその言葉は、決して誇張ではなく本心だった。

パンデミックは、OECDがこれまで主張し続けてきた「教育分野」の規制緩和とデジタル化を、世界規模で一気に進められる状況をもたらしたからだ。

官から民へと進む金融やサービス、エネルギーや流通などと違い、教育はまだまだ規制の壁が高い。成果が目に見える数字で測りきれず、リアルに触れ合うことの価値が重視される分野だからこそ、デジタルに馴染まないという現場の声が強いのだ。

だが、「世界的緊急事態」となれば、状況は一気に翻《ひるがえ》る。

WHOがパンデミック宣言を出してから2週間後、シュライヒャー局長はハーバード大学大学院教育学研究科・グローバル教育イノベーション課のフェルナンド・レイマーズ教授と共に作成した「2020年 新型コロナウイルス感染症パンデミックへの教育における対策をガイドするフレームワーク」という教育政策提案書を緊急発表した。

98カ国の教育環境の調査とコロナ禍での対策状況、緊急事態下で学校が閉鎖される中、オンライン授業のためのインフラ整備を急ピッチで進めることの重要性が、繰り返し強調されたレポートだ。

デジタル技術が進化しているとはいえ、パンデミックが起こる前は国ごとにオンライン教育への温度差があった。

異なる財政事情や、政府や現場関係者が教育のデジタル化に懐疑的であるなどの理由から、オンライン授業のための設備投資や教師たちへの研修、生徒へのタブレット配布などを教育予算に入れて大きく変革する世界的な流れは、まだできていなかったのだ。

同レポートは、この部分をしっかりと後押ししている。

〈デジタルインフラ整備については、たとえ通常の教育予算で実施するのが難しい場合でも、パンデミック対策として必須の投資だと考えるべきである〉

デジタル教育を今のうちに整備しておくことで、パンデミックが終わっても、子供たちがより進化した学習体制に移行できるというのだ。

ソーシャルディスタンスも、社会にとっての〈災厄〉でなく、オンライン学習の設備を提供する〈大きなチャンス〉として捉えるべきだとされている。

〈各国政府はこの機会を有効に使い、民間企業としっかり連携する必要がある〉

だが、オンライン授業を対面授業の代わりにすることを、認めない国も少なくない。

シュライヒャー局長とレイマーズ教授は、この辺りが障害にならないよう、レポートの中で具体的に念押しした。

〈オンライン教育を対面指導の代わりにすることを政府が認めていない地域は、そのような障壁を取り除くのが望ましい〉

そしてレポートには、パンデミックというこの〈機会〉を有効に利用し、教育のデジタル化を進めた国とそうでない国の調査報告が掲載されている。

加速するオンライン教育

転んでもタダでは起きない中国は、新型コロナウイルス感染者第1号が武漢で発生したことで世界中から非難を浴びたものの、パンデミックを「教育格差縮小のチャンス」に変え、国内のデジタル教育市場を一気に進化させることに成功した。

国を挙げた方針の名は、「停課不停学（学校は止めても教育は止めるな）」。

若者に人気の動画共有アプリ「ＴｉｋＴｏｋ」を手がけるバイトダンス社は、党の指名を受け、速やかに全国民を対象にした無料の教育コンテンツとライブ授業配信を開始した。

画面を開くと、誰もが知る名門校の教授やカリスマ講師の講義が受けられる。

このサービスはたちまち広がり、オンライン教育全体の利用者は1年間で4億２３００万人に増えたのだった。

中国では授業の出欠状況もすべて顔認証でわかってしまうので、日本でいう「代返」などは不可能だ。どんな顔で講義を聞いているかはもちろん、居眠りしているのもこっそりお喋りしているのも、全部バレてしまう。

こうしたデータは1か所に集められ、「信用評価システム」に点数として反映されてゆく。

パンデミックによる急な学校閉鎖で、慌てる国々を横目に余裕の対応をしたのは、世界最先端の電子国家エストニアだ。

すでに数年前から政府が教育のデジタル化を熱心に進めていたおかげで、自宅待機命令が出された際も、子供たちはスムーズにオンライン授業に移行できている。

それだけではない。

エストニアの教育科学省は、周辺国にこう呼びかけた。

「せっかくの機会ですから、それぞれの国のオンライン教育資材を、無償で共有しあおうではありませんか」

エストニアは以前から、「最先端を維持するために、投資を続けながらデジタル化のノウハウを世界に発信する」という方針を取っている。

この呼びかけに、エストニアと同じバルト三国のラトビア、リトアニアをはじめ、アイスランド、ノルウェー、デンマーク、フィンランド、スウェーデンが参加して、各国から40種以上のオンライン教材が集まった。

教師、生徒、保護者をつなぐデジタルプラットフォーム、入学手続きや学校運営をオンラインで実施するシステム、語学や数学のオンライン教材は、どれも生徒を飽きさせない工夫に満ちている。

フランスでは政府が遠隔教育のためのプラットフォームを無料で提供し、〈バーチャル教室〉が可能な状況だ。イスラエルは義務教育の8割にデジタルコンテンツが整備され、ルーマニアはグーグルやマイクロソフトと連携したオンライン教育サポートを実施、オランダは全ての子供たちへのタブレット配布とWi-Fi環境の整備に250万ユーロ（約3億2500万円）の予算をつけている。ラトビアでは教師のためのオンライン学習体制と、評価システムが設置された。

日本は前述した「GIGAスクール構想」によって、全小中学生に一人一台のタブレット配布と校内インフラ整備を進めている最中だ。

学校のパソコン普及率は、たった一年でトップのアメリカに次ぐ7割に達しつつあり、2021年にはデジタル教科書の普及促進事業に予算52億円が計上されることになっている。

オーストラリアでは、高等教育のデジタル化とＷｉ－Ｆｉ整備に力を入れていた現場の対応が早かった。シドニー大学のＩＴチームは、オンライン授業に加え、データや各種アプリケーションへアクセスできるデジタル教育環境を、わずか7日間で完成させている。

教育が連邦政府ではなく州や自治区の管轄であるアメリカでは、公立学校の予算は主に自治区の固定資産税だ。そのためデジタル設備が不十分な学校は対応できないなど、パンデミックで以前からの教育格差が一気に表面化した。だがコロナ禍で公立学校が閉鎖しているのをチャンスと捉えた企業ロビイストたちが各州の州議会議員たちに熱心に働きかけたおかげで、本来民営枠であるはずのチャータースクール（公設民営学校）にも、コロナ対策支援金がしっかりと適用されている（チャータースクールについては後述）。

シンガポールではＳＡＲＳ流行の苦い経験から、学校閉鎖レベルの危機に備え、数年前から年2回、公立学校で子供たちにオンラインでの自宅学習をさせてきた。

同国の教育省は２０１８年に、全国の小中高校生が使うオンライン学習プラットフォームを作成し、宿題のアップロードなどをさせている。学校では一部を除き、民間企業のプラットフォームでなく政府独自のシステムを使わせることで、セキュリティを徹底しているのが特徴だ。

ＯＥＣＤレポートのメッセージは終始一貫している。

〈パンデミック危機が起きたことで、今や教育のデジタル化は必須となった〉

だが本当にそうだろうか。

デジタル化は、点ではなく線だ。

緊急事態が起きた時、私たちの思考は止められる。

先が見えないことへの不安と、何かを失うのではないかという焦りにつかまってしまう。

そんな時、近現代史を紐解くことは、過去と未来が一本の線でつながっていることを私たちに思い出させ、目の前にかかった霧を晴らしてくれる。

グローバル教育を拡散させるため、２０００年から3年毎に行っている学習到達度調査（ＰＩＳＡ）など、ＯＥＣＤがこの間ずっと進めてきたのは、教育の画一化と市場化だった。

そしてこの間グローバル企業群や世界銀行と共に、アフリカのような途上国をはじめ、世界各地に教育ビジネスを展開してきたことも、パンデミックを機に各国の教育のデジタル化を急かすレポートも、実は同じ線上でつながっているのだ。

世銀とGAFAの餌食になるアフリカの子供たち

そんな中、教育（Education）と技術（Technology）を組み合わせたエドテック（EdTech）という新しい分野が投資家たちの注目を集めている。

インターネットを使ったオンライン学習とともに、教師が生徒の学習状況を把握し管理するツールだ。市場規模3200億円のこの新市場にテック企業群が群がり、巨額の札束が飛び交っている。

最初のターゲットはアフリカだった。

エドテックには、様々な「教育格差解消」という大義名分があるからだ。

そしてすでに教育システムが確立された国よりも、もともと設備や人材が不十分な地域ほど、オンライン教育は参入しやすい。

パンデミックが起こるずっと前から、世界銀行とテック企業の両者によって、このビジネスモデルはOECDがアフリカのような途上国をはじめ、着々と拡大されてきた。

21世紀の超有望投資分野であり、今後デジタルによってさらに巨大化する教育という市場において、テックジャイアントのマイクロソフトとフェイスブックが最初に目をつけたのもまた、様々なインフラを開発中の、アフリカ地域だった。

「経済的な理由から学校に通えない子供がいてはなりません。どんな子供でも、学校に通い、生活してゆく基本スキルを学ぶ権利があるのです」

世界銀行がビジョンを描き、開発支援の名の下に、途上国の教育インフラに資金を提供する。例えばアフリカでは、月々たった6ドル(約660円)で、一人の子供が学校に通い、違う未来を手にできる。

先進国向けのコマーシャルに現れるそんな呼びかけと、教科書を片手にキラキラした瞳で笑う褐色の肌の子供たちは、私たちの心を動かす美しいイメージに満ちている。

だが本当にそうだろうか。

現場の人々が悲鳴をあげる理由は、6ドルという金額が、同地域のケニアやウガンダの一般家庭の月収の4分の1に相当するからだ。反貧困を掲げ新興国の開発計画を監視する国際NGOグローバル・ジャスティス・ナウの調査結果によると、この学校に通うための実費は、給食費用なども合わせて20ドルになり、一般家庭の平均月収の約8割が飛んでしまうことが明らかになっている。

それを徴収するのは、この地域でマイクロソフトとフェイスブックが世界銀行と共同出資して運営する、教育とデジタル技術を組み合わせたチェーンの公設民営学校BIA

(Bridge International Academies) だ。

ＢＩＡはケニアやウガンダの他にも、ナイジェリアやインドなど複数の新興国に参入し、すでにこの時点で50万人の生徒を獲得、徹底的にコストを抑えたビジネスモデルで、巨額の収益を上げ続けている。

低賃金で雇われた教師の多くは無免許で、最低限の設備の中で、手元のタブレット画面を指でスクロールしながら、本社からのマニュアルに沿って授業を進めてゆく。ターゲットは地域の中でも最下層の貧困家庭だ。財源はタブレットとデジタル設備に投入されるので、多くの子供たちは不衛生で劣悪な建物の中で授業を受けている。後にイギリス国際開発省が調査したところ、さらに教員の大半が登録すらしていないことが発覚した。

一体こうしたオンライン教育は、誰のためのものなのか？

大人たちは首をかしげた。

２０１５年５月。

世界銀行のジム・キム総裁の元に、１通の抗議文書が届けられる。

差出人はケニアとウガンダで活動する30の市民団体で、開発支援の名の下に拡大するＢＩＡに対する批判と、公教育無償化への支援を求める署名入り声明文だ。

国際機関からの開発支援金を使うなら、マイクロソフトのような外国の民間企業ではなく、国内の公教育立て直しに予算を使うべきではないか。ケニアとウガンダには先進国のようなデジタル設備こそないが、子供たちの教育を真剣に考える真面目で優秀な教師や、教師を目指す若者が数多くいる。支援はありがたいが、教育の質を上げるためには、タブレットより人間の教師の方が必要だ。政府は投資する場所を再考してほしい。

声明文は同地域をはじめとする、100以上の団体に支持されていた。

かつてフェイスブックのCEOマーク・ザッカーバーグは、自国の貧困地域の教育を変えようと1億ドル（約110億円）を投資して、失敗に終わった過去がある。

すぐに目に見える結果を出そうとしたからだ。

質の良い公教育に投資することは、時間がかかるうえに、数値では結果が見えにくい。

2015年7月。

国連人権理事会は、こうした民間運営の学校に対する監視を強化する決議を行い、各国政府にそのためのルール変更を促している。

第8章　オンライン教育というドル箱

アメリカ発の教育ビジネス

シリコンバレーの若き大富豪たちの間では、近年デジタルテクノロジーを使った教育ビジネスが注目されている。

未知のウイルスが登場する以前から、グーグルの元CEOエリック・シュミットは、オンライン教育のための予算を拡大するよう情熱と札束で政府に働きかけていた。

テック業界の億万長者たちは、人間の教師の代わりにコンピューターが勉強を助ける〈個別学習プログラム〉に投資するファンドを設立している。フェイスブックのマーク・ザッカーバーグと妻のプリシラ・チャンが株式の大半を投じたのは、〈子供たちがどこに意識を向け、どうやって学習するべきか〉を誘導《ヽヽ》するソフトウェアの開発だ。

アメリカの4、5年後を追っている私たち日本人が今、何よりも紐解くべき歴史があるとすれば、ここだろう。80年代以降の政府と企業の癒着によって、ありとあらゆる分野に値札がつけられたアメリカで、最後に残された〈教育〉という巨大市場が、どんな道を辿り、変質していったのか。今や薔薇色の未来へのパスポートとして礼賛される〈デジタル教育〉の青写真が、一体どこから生まれてきたのかを。

常識とは違う角度から慎重に練られた戦略は、思いもよらない分野を大化けさせ、莫大な利益を生みだす〈金のなる木〉に変えてゆく。

例えば、どこにでもある平凡なコーヒー店から、カフェでの体験自体に付加価値をつけてサービスを合理化したことで、230億ドル規模のグローバル企業に化けた、スターバックスのように。

約四半世紀前のニューヨーク。

この手つかずの分野に巨大な市場価値を嗅ぎつけた、一人の金融マンがいた。

学校に投資せよ

2008年に刊行した著書『10倍株投資の実践理論――明日のスターバックスを発掘す

る方法』の中で、元金融大手メリルリンチ社ディレクターのマイケル・モーは、30年前のヘルスケア産業を例に、教育産業の可能性について書いている。

70年代のヘルスケア産業は、投資家たちに不人気な分野の一つだった。

GDPの8%を占める市場規模でありながら時価総額は3%にも満たず、十分なリターンが見込めなかったからだ。だがその後、高齢化社会が利益につながると信じたロビイストたちの熱心な努力と、レーガン以降の新自由主義政策によってシステムが民営化されたことで、医療は急速に金のなる木へと変化してゆく。

こうして投資しても鳴かず飛ばずだったヘルスケア産業は、30年後には米国のGDPの16%を占める、世界最大規模の優良市場と化したのだった。

モーは著書の中で熱心にこう語っている。

「現在放置されている教育産業は、30年前のヘルスケア産業と同じ可能性を持っている。まさに金の卵を生むガチョウなのだ」

投資銀行家として、リーマン・ブラザーズやメリルリンチなどを渡り歩いてきたモーは、90年代のはじめから、幼稚園から高校までの教育システムに目をつけていた。

初等教育に使われる年間1兆円の税金を、みすみす遊ばせておく手はない。

まず必要なのは、民間が経営する教育事業に、安定的に公費を流す仕組みだ。

費用は税金、運営は民間の〈チャータースクール〉

アメリカでは70年代に、ベトナム反戦運動や公民権運動の流れの中で、伝統的な価値観にとらわれない〈新しい学校〉を求める教育改革の動きが生まれた。

資金を寄付した当時の慈善家たちは「金は出すが口は挟まず」のチャリティ精神を貫いたため、運営計画表に価値を認めれば、あとは申請者に委ねる方式をとっていた。

そのためこうした学校の多くでは、規模は小さくとも教育の質にこだわる創設者たちの思いが反映された「子供ファースト」の運営が実現している。

だが80年代以降、規制緩和で野放しになり巨大化したウォール街とグローバル企業群によって、あらゆる公的分野をビジネスに変える〈新自由主義〉の大波が国全体を飲み込んでゆく。教育分野も例外ではなかった。

大きなきっかけを作ったのは、1983年にレーガン政権下で出された報告書「危機に立つ国家」だ。同報告書は、学力低下の責任は、公立学校と教員の怠慢や教職員組合にあると批判。これに保守層が共感し、アメリカの教育政策は、投資家たちの望む「公教育の民営化」と「新自由主義的教育改革」の方向へ、一気に邁進し始める。

マスコミが公立学校と教職員組合への批判に焦点を当てる一方で、政府は同じ公立校でも国の規制を受けない民間運営の〈チャータースクール〉に補助金をつけ、保護者が学校を自由に選べる〈バウチャー制度〉を導入した。

チャーターとは、英語で「貸し切る」という意味だ。

1988年に教育学者のレイ・ブッデ博士が言った、「教育の質を向上させるために必要なのは、公立学校の枠の一部を貸し切って(チャーターして)自由な実験ができる環境だ」という言葉が、チャータースクールという名前の由来になった。

1992年にミネソタ州で、全米初のチャータースクールが誕生する。

その後フロリダ州で、納税者の税金を、民間企業が運営するチャータースクールに流す〈バウチャー制度〉が始まった。

ベンチャーが教育を投資商品にする

この流れに沿って、「子供たちのための寄付行為」も、そのコンセプトが大きく路線変更されてゆく。

2002年の時点で、教育分野に資金を提供した上位50団体の合計寄付金額の4分の1は、マイクロソフト創業者のビル・ゲイツによるビル＆メリンダ・ゲイツ財団と、世界最大のスーパーマーケットチェーン、ウォルマートの創業者サム・ウォルトンのウォルトンファミリー財団が占めていた。

ここに不動産王のエリ＆エディス・ブロード財団が加わり、「21世紀の慈善事業3大巨人」が誕生する。

資金はより潤沢になったものの、彼らはそれまでの慈善家と違い、自分たちの投資を「チャリティ」で終わらせる気はなかった。

資金をきっちり回収するために、授業内容どころか運営そのものにも大いに口を出す。彼らにとって寄付とは、目に見えるリターンをもたらすべき「投資行為」なのだ。

効率よく回すために、達成すべきゴールや期限、そこに最短距離で到達するための人材の厳選や経営方針などは、親や教師などの素人ではなく、全て資金を出す財団側がパッケージで提供する。

運営は同じ経営理念を持つ外部機関に資金を出してやらせるか、自分たちの意のままに動く新団体を設立し、間接的に運営させた。

チャータースクールは期限内に数字で一定の成果を出せないと廃校になるので、せっかく投資しても肝心の運営が失敗したら元も子もないからだ。

校長や現場の教員、保護者の出る幕はなかった。

「ベンチャー型チャリティ」と呼ばれるこの新たな手法は、投資家にとって素晴らしい三つの特徴を備えている。企業イメージが良くなること、投資した分が税金控除の対象になること、そして公金が投入されるあらゆる分野に応用が利くことだ。

まさに一石二鳥ならぬ一石三鳥、参入する起業家と富裕層の数は、爆発的に増えていった。

マスコミが公立学校へのバッシングを展開する中で、チャータースクールの広告には、保護者にとって、魅力的な言葉がちりばめられる。

〈低所得層やマイノリティの子供たちにも、質の良い教育を受けるチャンスを〉

だが、描かれるイメージと現実は、少々違っていた。

良い点数が出せない学校は認可が取り消されるというシステムゆえに、チャータースクールは、障害のある子供や成績の悪い子供たちを入学させるリスクを避けるのだ。

「規制緩和」「選択肢」「競争強化」「インセンティブ（動機）」をキーワードに、学校の価値を落とさないよう、数字で結果が出せない生徒は速やかに退学処分となり、成績の悪い生徒には、初めから入学のハードルが高く設定された。

経費の大半を占める人件費の削減は簡単だった。教師を契約社員にするか、州の規制緩和の度合いによっては、教員免許を持たないスタッフに授業をさせればいい。

チャータースクールは、子供たちの安全と健康に関すること以外は、通常公立学校に課される州の規制や、財務状態の監視、教員評価制度などが免除されているため、〈設備は最小限、利益は最大限〉の法則を、忠実に実行できるのだ。

その結果、2012年までに、全米42州とワシントンD.C.がチャータースクールを承認する法律を導入。チャータースクールがアメリカに誕生してからわずか20年で、200万人の生徒を入学させることに成功する。

ニューオーリンズのように自然災害で壊滅的被害を受けた街では、教職員組合と対立していた知事が、被災した公立学校を復興させる代わりに民間企業が運営するチャータースクールを建て、行き場を失った子供たちをそちらに入学させる方針をとった。災害復興を理由に地域を丸ごと民営化し、子供たちの8割以上をチャータースクールに移すという目覚ましい結果を出したこのケースは、教育ロビイストたちの間で「ショック・ドクトリン

〈惨事便乗型資本主義〉の成功例」として称賛されている。

公立学校と違い、経営方針に沿わない教員の解雇も難しくない。

アリゾナでは解雇された教員が不当だとしてチャータースクールを訴えたが、以下の理由で州の裁判所に却下されている。

〈チャータースクールは非営利機関であり、公立学校のように州の労働法が適用されるわけではない〉

こうしてチャータースクールは、5〜7年で2倍のリターンが保証される、極めて有望な投資商品として完成したのだった。

教育ビジネスとタッグを組んだオバマ大統領

だがこの利益至上主義のせいで、現場では教育内容の質の低下をはじめ、様々な問題が噴き出している。

チャータースクールの多くは生徒の退学率が高い。

推進派が強調する〈公立校より成績が向上する〉〈費用が安く済む〉という二つの利点は、どちらも現実には反映されていなかった。学校によって差はあるものの、公立学校より成績が上がるというデータは出ておらず、コストを削減した分も自治体や学校ではなく、多くの場合、運営する民間企業の株主たちに還元されるからだ。

経費削減による教員の質の低下や、バウチャー制度によって公立学校の生徒がチャータースクールに取られることについて、公立学校の教員たちからは常に批判の声が上がっていたが、投資家たちにとっての問題にはならなかった。

どのみち財政難の州政府は、大口スポンサーである財団に、忖度せざるを得ないからだ。

さらに財団や関連企業は、リスクヘッジとして中央政府方面への献金も惜しみなく注いでいる。他の多くの業界と同じように、教育省と関連企業の間の「回転ドア」も常に滑らかに回しておいた方が、何かとスムーズに事が運ぶのだ。

歴代大統領の中でも、教育分野のベンチャー型チャリティと最も強力にタッグを組んだオバマ大統領は、当選後に巨額の選挙資金提供の見返りとして、ゲイツ財団の上級幹部を教育省の副長官に任命、学校の民営化と教職員組合潰しという同財団の方針を、共に推進していった。

ゲイツ財団から出向した教育副長官は、全米各州を対象に、それぞれの州でチャータースクールにかけている規制を撤廃することを条件に、教育予算獲得競争「Race to the

「Top」を実施している。

その結果、全米でチャータースクールの数が一気に増えたのは言うまでもない。

教育の民営化議論では、常に推進派が教職員組合を批判する。

「改革を進める最も効果的な手法は、理論ではなく感情だ。恐怖や怒りは人々の記憶に残りやすい。〈わかりやすい敵〉の存在が、現状への不満を拡大させ、改革を有利にしてくれる」

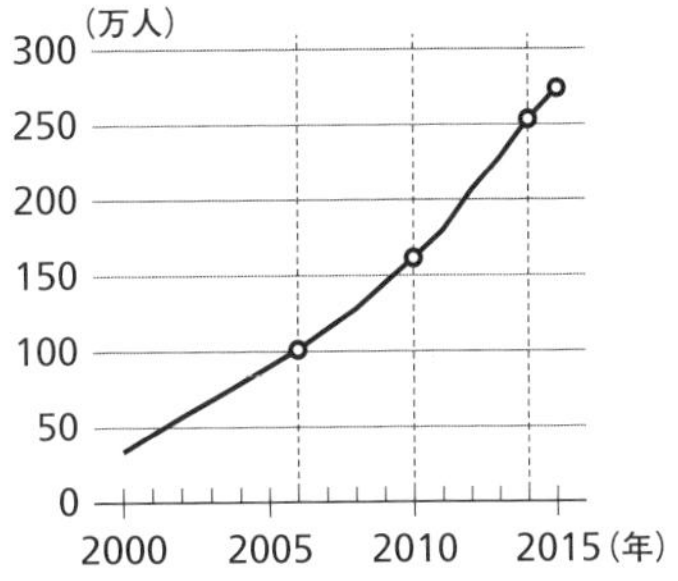

アメリカの公設民営学校の生徒数は右肩上がり(出典:U.S.Dep.of Education National Center for Education Statistics)

元アメリカ商工会議所の労働法担当で企業弁護士のリチャード・バーマンは、こうした持論と共に保守派の政治家を、一人また一人とチャータースクール推進側に引き入れていった。

チャータースクールには団体交渉権が存在しないため、教師の数が増えれば増えるほど、同じ地域内にある公立学校の教職員組合の力は弱くなる。

オバマ大統領の首席補佐官を務めた人物が市長を務める当時のシカゴで、2万5000人もの教員がストライキに突入した時、路上で以下の文言を書いたプラカードが数多く掲げられていた。

〈教育を売るな（Education not for sale.）〉

オバマ大統領のこの「功績」もまた、ゲイツ財団のみならず、教育関連のロビイスト・投資家たちの間で、非常に高く評価されている。

この一連の流れの中で、教育ビジネス関連企業の資金調達とコンサルティング事業を精力的に拡大してきたウォール街の旗振り役が、他ならぬマイケル・モーの投資グループ、「グローバルシリコンバレー・パートナーズ」だった。

こうしてアメリカでは、公教育という共有資産と引きかえに、四半期毎に民間教育ビジネスの株主たちに公金が流れこむビジネスモデルが確立されていった。１９９８年から２００５年の間に、米国内の教育ロビイスト団体の登録数は55％増えている。

だが、モーは投資のプロとして、常に先の未来を見通しながら、冷静にトレンドを観察していた。

利益至上主義で運営されるチャータースクールの劣悪さが、政治家への献金と広告代理店の力で抑えきれなくなる時が、そのうち必ずやってくるだろう。

実際全米各地から、チャータースクールが州の助成金を不当に申請したという事件や、学生の頭数を増やすために頻発する学資援助の不正、監督機関への虚偽報告など、目を覆うような事案は年々増える一方だった。

ニューヨーク州では、公費を受け取っているにもかかわらず、会計監査を受けたくないという投資家と企業側の要求を、チャータースクール協会が訴訟という手段で強引に合法化した。さすがに控訴裁判所で最終的に覆されたものの、儲かれば儲かるほど、こうした業界のやりたい放題がエスカレートしてゆく。

そろそろ次の手を考えるべき時が来ていた。

モーの頭の中には、苦労して花開かせたこの有望な商品を、さらに大きな果実をもたらす形にアップデートする、新たな投資計画が描かれていた。

子供たちを仮想空間に移せ

2011年10月。デジタル教育関連の研究開発で有名な、アリゾナ州スコッツデール市で開かれた「プレミア教育投資会議サミット」の会場で、560人の投資家、教育ロビイストと100社以上の企業を前に、モーは〈学校の民営化〉と〈デジタル教育〉という巨大な可能性を持つ新市場について熱弁を振るっていた。

「公立学校の民営化が、いよいよ過渡期を迎えるのです」

理由はこうだ。

不況による財政危機と政府の緊縮財政政策のせいで、全米が悲鳴をあげている。どこの州も間違いなく大幅な教育予算カットを迫られるだろう。

さらに翌年の大統領選挙に向けて、保守派の団体が、民主党の支持母体である教職員組合を攻撃するタイミングと重なることも追い風になる。公教育の予算削減が実現すれば、その分民間の教育ビジネスが参入するチャンスが到来するというわけだ。

会場には元ニュース司会者のカルロス・ワトソンや、ジョエル・クライン前ニューヨーク市教育委員長、エイドリアン・フェンティ前ワシントンD.C.市長などの著名人もいたが、彼らは元公人としてではなく、投資家としてモーの話に聞き入っていた。

ワトソンは今やゴールドマン・サックスの教育ビジネス専門投資アドバイザーで、クラインは英米豪で多くの新聞社を所有する、メディア大手〈ニューズ・コーポレーション〉の教育担当重役、フェンティは言語学習プログラム大手〈ロゼッタストーン社〉のコンサルタントだ。皆、教育のデジタル化で、巨大な恩恵を手にする立場にいる。

「デジタル教育が、次のゴールドラッシュとなるのです」

モーは確信をこめて、そう言った。

教員、学校職員、設備やサービスの質など、考えつく限りの経費を削減した後に、ウォール街の投資家たちが思いついたのが、子供たちと学校そのものを「仮想空間」に移すことであった。

デジタル化してバーチャルスクールにすることで、学校運営にかかる物理的経費を全て削減できる。校舎がいらないので設備の経年劣化も起きず、生徒数はいくらでも増やせ、限界費用がかからないので、利益は無限に拡大してゆく。

まさに無駄のない、完璧なアイデアだった。

投資効果を最大にするためには、バーチャルスクールとバウチャー制度をセットで推進しなければならない。

世論の賛同を得るためには、「子供たちの選択肢」という耳あたりの良いフレーズがぴったりだ。同教育サミットの協賛団体の一つである「National School Choice Week（学校選択週間）」は、表向きはバーチャルスクールを推進する学生と保護者のネットワークを謳《うた》っているが、フタを開けて資金の流れを見ると、企業がスポンサーとなり「保護者の選択肢」と「学校のデジタル化」を推進する、様々な広報活動をさせている。

教育という分野は、マーケティングで使いやすい、人道的、社会的、民主的イメージの宝庫なのだ。

200万ドルのプライベートジェットで豪遊

自ら経営するGSVキャピタル社を通して、教育関連の新興企業に投資していたモーは、「K12」という名のデジタル教育サービス企業を後押しし、2000年にはフロリダ州で全米初の完全オンライン〈バーチャル公立高校〉を開校させた。

ここで保護者に与えられる選択肢は三つある。

授業料が100%無料のオンライン公立民営学校、有料のオンライン私立学校、そしてオンライン個人講座だ。チャータースクールへの規制が甘いことで有名なフロリダ州には、全米で最も営利目的の学校が集中しており、保護者にバウチャーを使わせて納税者の税金を民間運営のチャータースクールに流す仕組みを最初に合法化した州でもある。

モーの目に狂いはなかった。

K12社は2007年に上場してからわずか1年で、12万3259人の生徒が登録する全米最大の〈メガサイバーチャータースクール〉に成長する。

同社はモーのアドバイスに従い、半年間に2150万ドル（約23億6000万円）もの広告費をかけて、ビルボードや子供向けケーブルテレビ、ラジオCMなどでオンライン教育を宣伝した。その結果、年商10億ドルの新星として、ウォール街で注目を浴びる存在になったのだった。

この新市場を拡大するためには、全米各州の法律を、それに合わせて作り替えなければならない。モーはジョン・マケイン上院議員の教育アドバイザーとして、バーチャルスクールの重要性を議会に理解させるほか、教育の民営化を推進する「Center for Educational Reform（教育改革センター）」のようなシンクタンクの理事として、連邦政府・州政府の両方に具体的な政策を提言した。

こうして地方議会の教育政策が、サイバーチャータースクールに都合の良い方向に、一つまた一つと転換されてゆく。

モーをはじめとする教育ロビイストたちの弛《たゆ》まぬ努力によって、幼稚園児から高校生までをターゲットにしたオンライン教育業界の市場規模は、2010年から2015年までに244億ドル（約2兆6800億円）に拡大したのだった。

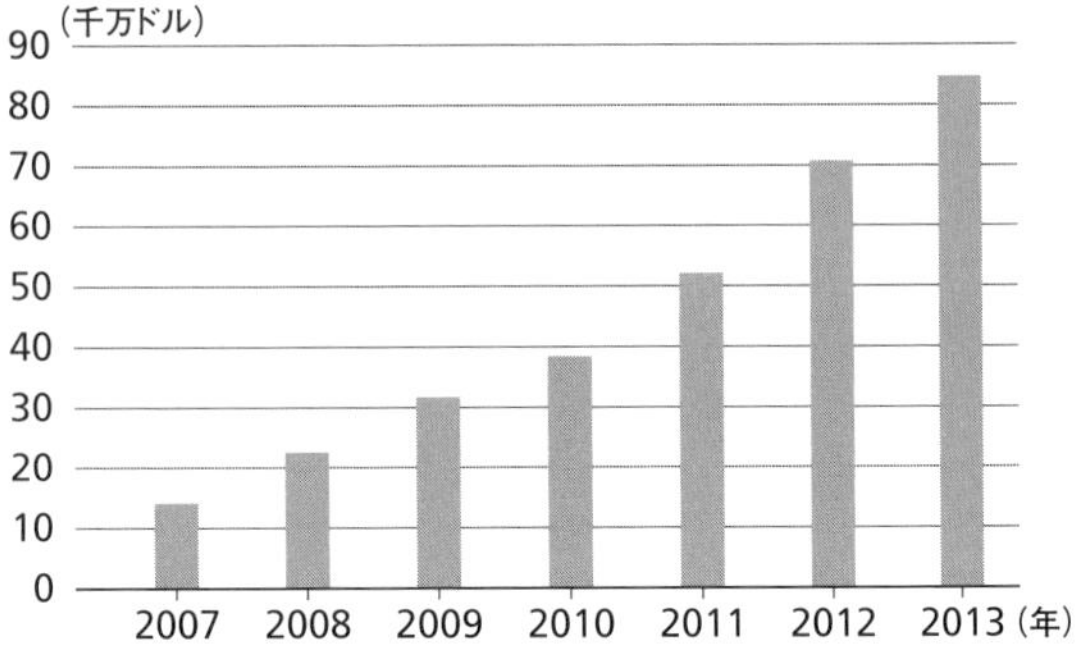

K12社の売上高はうなぎ上り（出典：Center for Media and Democracy）

だが、過去四半世紀のアメリカの歴史が証明しているように、企業利益と株主配当が優先リストの最上位ならば、マネーゲームの暴走は制御不可能だ。

デジタルという技術で教室をサイバー空間に移動させても、その土台であるチャータースクールを運営する側の〈今だけ金だけ自分だけ〉精神はますますエスカレートしていった。

ミシガン州のチャータースクールチェーンは、顧客であるニューヨークのチャータースクールに、現地で借りた年間26万ドルの校舎を10倍の賃料で貸していたことが明るみになり、非難を浴びた。オハイオ州に本社があるチャータースクールチェーンは、州内で運営する30校全ての成績評価が平均を下回り、うち10校は理事会からの財務報告開示請求を拒否して訴えられた挙句、〈民間企業にとって財務状況の非開示は当然の権利だ〉などと反論し上訴する始末だった。アリゾナ州では州内のチャータースクールの9割が、学校の業務委託や備品購入を理事会メンバーの所有する企業と取引しており、中には100万ドル（約1億1000万円）分の書籍を、理事が経営する教科書会社から購入していたケースもあった。

多くのチャータースクールがわざわざ別に設立した法人に学校運営を委託していたのは、州の監査権限が及ぶのはチャータースクール本体のみで、下請けの外部企業までは手が出せないからだ。

2017年にはカリフォルニア州で二つのチャータースクールが総額6700万ドル（約73億7000万円）の非課税債を含む公的資金を不正利用したことが暴露されている。

2020年にはテキサス州の大手チャータースクールCEOが、州からの助成金で2000万ドル（約2億2000万円）のプライベートジェットをリースしていた事実が地元紙にすっぱ抜かれた。

それは返済能力のない人々に住宅ローンを貸付け、予測される破綻に保険をかけて巨額の利益を得る、サブプライムローン詐欺が蔓延《まんえん》していた時期とよく似ていた。業界では誰かが起訴されるのは時間の問題だろう、と囁かれていたが、面白いように札束が流れ込む

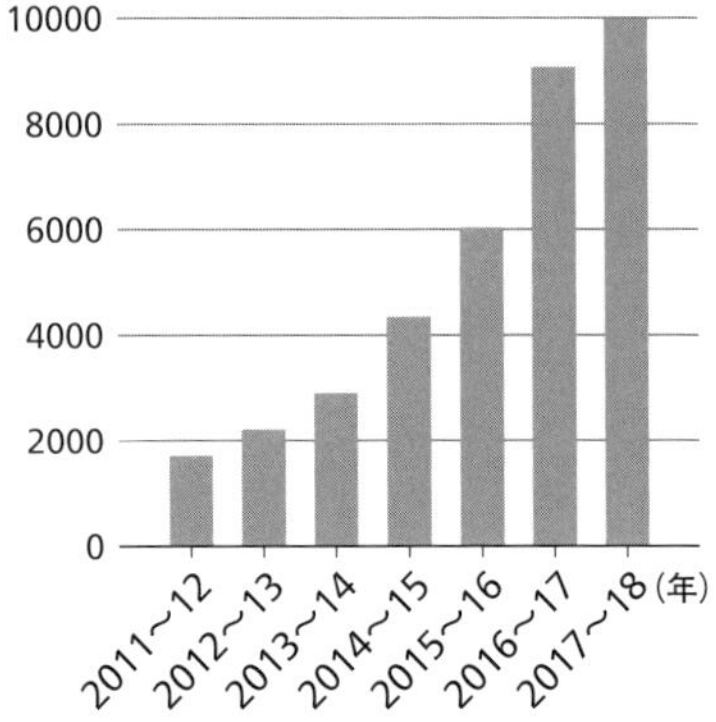

アメリカで急増するデジタル公設民営学校（出典：Statewide Virtual Charter School Board; Oklahoma Department of Education. By Nate Robson）

マネーゲームから、一体誰が降りたがるだろう？

サブプライムローンの時と同じように、どれだけ欲望のまま暴走しても、巨大な資金力によって、議会が、マスコミが、教育省の役人が、都合の悪いことを世間から覆い隠してくれるのだ。

〈できるだけ学生の頭数を増やし、できるだけ多くの公費を受け取り、できるだけ教育コストは下げる〉という、投資家目線で作られたこの詐欺的なビジネスモデルは、今最新のデジタル技術によって、さらなる高みへと羽ばたこうとしていた。

チャータースクールの進化版として、モーのようなウォール街の投資家が熱狂する〈バーチャルスクール〉が、手つかずだった教育という分野を揺るがす、かつてない規模の〈金脈〉と呼ばれる理由が、見えるだろうか？

ゲイツ財団らは、ブッシュ、オバマ、トランプ、バイデンと、歴代大統領および政権を巨大な資金力でしっかりと後押しし、モーのようなウォール街の金融マンたちは、スタートアップ企業や投資家にこの分野の投資価値を説く。一方教育ロビイストたちは各州の州議会議員に、バーチャルスクールの設立条件を緩め、オンライン授業の範囲を拡大する法案のひな型を渡して回るという役割分担ができている。

デジタル教育のゴールドラッシュは、始まったばかりなのだ。

立ち上がる親と教師たち

多くの人々にとって「予期せぬ災害」だった2020年のパンデミックは、教育ロビイストとウォール街の投資家、チャータースクールとバーチャルスクール、オンライン教育関連企業群に、クリスマスと誕生日が一度に来たかのような祝福を運んできた。

公立学校の民営化を前政権から引き継いでいるトランプ大統領と教育省が、緊急事態を理由にして、公教育解体と教育のデジタル化を一気に進めてくれたからだ。

学校閉鎖対策として、教育のデジタル化のための特別予算に165億ドル、この恩恵を受けたK12社のオンライン登録生徒数は57％増加し、教育関連株は大きく上昇した。

チャータースクール関連企業との利益相反関係が指摘されているベッツィ・デヴォス教育長官(当時)は、パンデミック宣言後に「最も困窮する生徒のための特別支援金」を提案した。公立学校が次々に閉鎖する中、今こそバウチャー制度のような「公立学校以外の選択肢」が必要だというのがその理由だ。

〈これは子供たちにとってチャンスなんです〉

ラジオインタビューに出演したデヴォス長官はこう話している。

〈パンデミックによって、今までこの国が、小学校から高校までの教育を、たった一つだけの方法に執着してきた責任が今問われているんです。新しい選択肢を、真剣に見直さなければいけない時期でしょう〉

それはすなわち、多くの公立学校が、感染症対策設備が不十分で学校を再開できずにいる隙に、保護者たちのバウチャーが、バーチャルチャータースクールの方に使われることを意味していた。チャータースクール運営企業は、民間のチャータースクールが公立学校を淘汰してゆくこの流れがパンデミック収束後も続くよう、ここぞとばかりに保護者向け広告に力を入れている。

デヴォス教育長官はまた、オンライン教育の設備投資費用を強調し、チャータースクール運営企業13社が事業拡大するための補助金約2億ドル(約220億円)を引き出すことにも成功した。

「大切なお子様のために、パンデミックの先の未来にも通用する教育環境を、今から準備しなければなりません」

公費を投じるにもかかわらず、2019年以来政府補助金で開業したチャータースクールのうち4割が破綻し、約11億7000万ドル(約1290億円)が開校しなかったか、途中閉鎖された学校に支払われたという報告は、〈学校の民営化推進団体〉の会長を兼務するデヴォス教育長官にとって、特に懸案事項にはならなかった。

一方、教育ビジネスとその関係者によって絶え間ない攻撃に晒されている教職員組合や、悪質なチャータースクールの被害にあった保護者たちの多くは、それでも政権交代に一縷《いちる》の望みをかけていた。

〈トランプ大統領がホワイトハウスを去れば、民主党のバイデン政権下で、教育ロビイストやグローバル企業群の暴走に、きっとブレーキがかかるだろう〉

2019年12月、大統領選挙キャンペーン中のジョー・バイデンが、当選した暁《あかつき》にはチャータースクールのような営利学校への補助金を廃止する公約を掲げていたからだ。

だが世界中どこの国でも、政治の世界には役割分担がある。〈スローガン〉が夢を振りまき、〈予算〉が現実を見せるのだ。

米国では選挙が終わると、投じられた選挙献金の金額に応じて、順番にリターンが返される。バイデン政権下の予算編成でチャータースクールにつけられた補助金は、前政権と同規模の、4億4000万ドル(約480億円)だった。

それでもこの間、チャータースクールの利益至上主義による数々の弊害を経験してきた現場の教員や保護者たちが、緊急事態を理由にオンライン学校がさらに台頭することを阻止すべく、学校が休校している間も、地道に地元の州議会議員たちに働きかけてきた。

国立教育政策センターのケビン・ウェルナー局長が政府を批判した、「パンデミックを理由に教育の民営化とデジタル化を一気に進めるのは、ショック・ドクトリンに他ならない」という考えは、現場でも危機感として広がり続けている。

チャータースクールがオンラインに変わったとしても、企業のための市場が拡げられ、公教育が土台から崩される流れに変わりはないからだ。

その結果オレゴン州では、バーチャルスクールにも公立学校と同じ条件で閉鎖命令が出されることが決議された。

ペンシルベニア州では公立学校から生徒が流出しないよう、バーチャルスクールへの補助金を一時凍結している。

1998年にチャータースクール法が成立し、事業家で推進派のブルームバーグ前市長が多くの公立学校を切り捨ててチャータースクールを増やしていったニューヨークでも、ようやく潮目が変化した。

市内300校のうち22校を経営するチャータースクールの校長が、47万5000ドル(約5200万円)の年収を公金から得ていたスキャンダルなどでかなり腐敗が進んでいたが、我慢の限界に達した市民がついに一票の力で意思を表明し、前政権と一八〇度違う教育改革を公約に掲げた候補者を当選させたのだ。市はチャータースクールから賃料を徴収し、その分公立学校の予算を増やす方針を発表した。

企業側は反発の声をあげ徹底抗戦する構えだが、人々の中に生まれた、子供たちのために公教育の価値をもう一度見直す空気は、全米で確実に大きくなっている。

第9章　教科書のない学校

13億人のAI教師がいれば生身の先生はいらなくなる？

デジタル・リテラシーのない教員はこれから採用されなくなる。

だが、今後教育の中身もデジタルで管理されていくとなると、最終的にはそもそも先生自体が必要かどうか？　という話になってくるだろう。

アンドロイドのスマホは年間13億台生産されている。つまり年間13億人の「デジタル先生」が生産されているということだ。シリコンバレーの起業家で、シンギュラリティ大学創設者のピーター・ディアマンディスは、年間13億台生産されるアンドロイド搭載のスマホがAI教師になる近未来について語っている。

〈画一的教育は、アプリにはとても敵わない〉

GIGAスクール構想で学校現場の光景が変わり、授業がオンラインで行われ、基本的に生徒がタブレットの中を見るのなら、先生が教室にいて教える必要はなくなるというのだ。

そうなると組合どころか先生そのものが一掃されてしまう。ＧＩＧＡスクールサポーターのようなインストラクターだけでいい。あるいは情報通信に詳しいＮＴＴの出向社員、デジタル教材のことがわかるベネッセの営業マンで十分かもしれない。

ＡＩ教師のみになるまでにはまだ時間がかかるとしても、世界に追いつけ追い越せという「デジタル賛美」の空気の中で、教師の数は今後はかなり減らされてゆくだろう。

２０１９年、国際バカロレア教育を謳う日本初の公設民営学校をスタートした大阪市では、計画段階から教師は非正規の雇用契約を大いに活用することが掲げられた。

コスト面から言えば当然そうなるだろう。国際的な教育が売りなので、パソナグループが斡旋してくれる外国人教員も増えていく。

教師を非正規雇用にすることは、運営側の企業にとって都合がいい。

非正規なら公務員が守るべき法律（地方公務員法、教育公務員特例法など）に縛られなくて済むからだ。国家公務員法には、「公共の利益」のために働くという条項や、日本国憲法99条には「公務員は憲法を尊重し擁護する義務を負ふ」という一文がある。これらを守る義務から解放されている非正規の教員は、公益のための教育をする必要がないのだ。

憲法で守られてきた公教育の理念は、ここからじわじわと形骸化してゆく。

教員の雇用条件にも、今後はデジタルに明るいという条件が加えられてゆくだろう。

だが、デジタルには疎《うと》くても、面倒見がよかったり、子供たちの心の機微を感じ取ることに長《た》けている先生はどうだろう?

そういう先生が学校からどんどんいなくなって、教育が単なる知識の伝達だけになるならばオンラインでも十分だ。タブレットの中で検索するやり方を教えるインストラクターさえいればいい。けれども、それ以上のものが教育にあるからこそ、今度はそれが問われてゆくことになる。

「タブレットがないと、全部自分の頭で考えないといけない」

文部科学省の公式ホームページに貼られた「学校における一人一台端末環境」公式プロモーション動画の中で、小学生の女児は手元のタブレットを見ながら、あどけない笑顔でこんなセリフを口にする。

「タブレットがないと、全部自分の頭で考えないといけない。でもこれ(タブレット)があれば、間違えた時すぐ説明されて、前に進んでいけるんです」

タブレットの中に組み込まれた学習アプリが、立ち止まって考える間もなく、すぐに間違いを正してくれ、その子の理解の度合いに合わせた次のステップに誘導してくれる。

こうした個別の学習ソフトは、デジタル教育の目玉の一つとして宣伝されている。だがその効果に関しては、賛否両論あるのが現状だ。

言語脳科学者で、東京大学大学院総合文化研究科の酒井邦嘉《くによし》教授は、スピードや効率化など、デジタル化のメリットに一定の理解を示しながらも、考える前に調べるようになってしまうことなどをはじめ、複数の危険性に警鐘を鳴らす。

紙の教科書と違い、液晶画面で読むものは、空間的な手がかりがつかみにくいため記憶に残りにくいこと、ネット検索で情報過多になり、考える前にすぐ検索してしまい頭を使わなくなること、そしてメモを取る能力と字を書く能力、そして内容を咀嚼《そしゃく》する能力が落ちてしまうことだ。

これについて、東大とＮＴＴデータ経営研究所、日本能率協会マネジメントセンターの三者が合同で、電子機器と紙の手帳の記憶について比較調査を行っている。18〜29歳の48人を、手帳、タブレット、スマホの３グループに分け、それぞれにスケジュールを書き入れさせた後、ＭＲＩで脳活動を測定したのだ。

すると、スマホ・タブレットの電子機器群に比べ、紙の手帳を使ったグループは記憶に関する脳活動が活発になり、記憶力も優位という結果が出た。人間は記憶力をもとに新しい思考や創造的発想を生み出してゆくため、記憶力を優位にする「紙に触れ、手で書く」という行為を、おろそかにしてはいけないのだという。

教科書は時代遅れ、タブレットこそ最先端という考えは、パンデミックをきっかけに急激に広まっているが、酒井教授は「時代遅れどころか、紙の本とノートを使うことこそ最先端」だと言い切っている。

「デジタル文字が綺麗に並んでいるタブレットを見ただけで、わかったような気になってしまう。一方、自分で書いた文字は不完全なので、自ら考えて結論を出さなくてはなりません」

教科書に付箋《ふせん》をつけることも含めて、その学習プロセスにこそ意味がある。

どんなにデジタルが進化しても、アナログカメラを好む人が少なくないのは、手軽に均一の結果を出せるデジタルカメラと違い、すぐに結果が出ないことで被写体との向き合い方を工夫する楽しさがあるからだろう。

国内トップの発行部数を誇る読売新聞社では、新入社員に半年間原稿を手書きで書くことを義務づけている。手書きの原稿で若い記者たちが最も苦しむのは記事の書き出しだという。全体を画面で見られるデジタル入力と違い、手書きの原稿は終わりまでの構成を考えないと書けないからだ。そうやって手を使って書くことはきっと、筆力を磨く素晴らしい訓練になるだろう。

酒井教授は繰り返し、手書きと脳の関係性を強調する。

「デジタルはあくまでも補助、主体は紙という基本を変えるべきではありません。結果が出ないから頭で考え、工夫して、忘れないように付箋をつける。手間のかかるそのプロセスこそが、脳にとって大切な学びだからです」

教科書のない学校

タブレットがないと、自分の頭で考えなければならない、という小学生の女の子の言葉を聞いた時、不思議な気持ちになった。

私の母校である和光小学校には、タブレットどころか教科書自体がないからだ。知識を入れるためでなく、考えるための教材を先生が自分で探してきて、それをプリントしたものが配られる。毎回授業のたびに数ページ配られる紙を自分で二つに折って、授業の最後にファイルに綴じてゆくので、一学期が終わる頃には一冊の教科書ができあがる。授業中に思いついたことの走り書きや計算式、その時流行っていたアニメのイラストが書いてあり、あちこちに折り目がついた、世界に一つしかない、自分だけの教科書だ。

プリントは毎回、その授業で進む分しか配られないため、当日にならないと内容がわからない。国語の授業で使われる物語は、その日のページ分だけで先の展開が読めないので、皆で登場人物の気持ちや動機を一生懸命考えながら授業が進んでゆく。結末を知らない分、想像力がどこまでも広がり、毎回どんな意見が飛び出すか、議論がどこに向かうか予測できない楽しさがあった。

この学校の授業には、二つの特徴がある。

一つは「すぐに答えを教えてくれないこと」。

例えば、ある日理科の授業で先生がこんな問いを出した。

「パイナップルは、どこになっているでしょう?」

私はその時率先して手をあげ、自信満々で「木になっています!」と発言した。他の生徒からも「土から生えてる」「冷蔵庫」「わからない」など多数の声が上がる。先生は正解を言う代わりに、私たちにもう一度こう問いかける。

「未果はどうして木だと思うの？」「土に生えてると思った人はなぜ？」

答えの代わりに問いを投げられた私たちは、小さな頭をフル回転させてそれぞれの理由を皆に説明し、自分とは違う意見にも耳を傾け、丸々一時間話し合う。

その間先生は口を挟まず、私たちが活発に議論する姿を目を細めて見ていた。

授業の終わりを告げるチャイムが鳴って、やっと先生がくれた答えを聞いた私は顔が真っ赤になったけれど、皆と話したあの時間が、とても楽しかったのを覚えている。

もう一つの特徴は、先生が生徒の答えに◯×をつけないこと。

正しいか正しくないかよりも、どうやってその答えに辿り着いたかの方に関心を持ってくれるのだ。間違えても裁かれないので、私たちは思ったことを自由に口に出し、ありのままの自分でいられたように思う。その分話が終わらずに時間切れになってしまうことが多かったが、先生は気にする様子もなく、一緒に熱くなっていた。

中でも一番重宝されるのが、途中でついていけなくなってしまい、答えが出せなかった生徒だった。彼らは時に「はてなさん」などと妙な名前で呼ばれ、それぞれどこでわからなくなったのかを言わされる。そこからクラスの皆で一緒に考え、疑問を口に出しながら、ゆっくりと一緒に答えを見つけてゆく。どんな意見を口にしても、先生は一旦そのまま受け入れてくれる。面倒くさいからと考えるのを放棄して「○○ちゃんと同じです」などと発言した時だけ、顔をしかめてこう言われた。

「同じ、なんていう意見はないよ。未果はどう思うの？」

授業の最中も、先生は黒板を使わずに、壁に貼った大きな模造紙に生徒から出た意見をどんどんその場で書いたり、文字でなく図にしてみたり、時にはプリントを使わずに全部口頭でやってみたり、いきなり演劇から入ったり、その時その時の空気に合わせたやり方をする。

そんなふうに先生が創意工夫して、毎回一期一会《いちごいちえ》の授業を作るあの教室では、違う考えを持つクラスメイトたちの存在を同じ空間の中で受け入れることや、答えの出ないことを考える道のりに、何よりも価値が置かれていた。

科学者と企業家たちは今、人工知能を駆使して生徒たちの間違いを見つけ出し、思考の土台を作り、激励までしてくれる個別学習プログラムを開発中だ。

だが教師と生徒の間の絆や、教室で生まれる一体感は、果たしてそれらに置き換えられるだろうか？

ビル・ゲイツは自分の子供にスマホを持たせない

米タイム誌の「2009年の発明ベスト50」に選ばれ、ビル・ゲイツが「数学の未来」と絶賛し、シリコンバレーの億万長者たちが資金を提供してきた個別学習プログラム「Teach to One」は、10年かけて改良を重ねたにもかかわらず、未だに学力を向上させる結果を出せていない。

フェイスブックと共同開発したオンライン学習プログラムを導入したニューヨーク・ブルックリンの民営公立学校「Secondary School for Journalism」では、生徒たち自らが立ちあがり、一人でタブレットに向かう時間をなくすよう要求し、一斉に授業をボイコットした。

この学習プログラムは、「一対一の個別指導を受けた生徒は、集団で授業を受けるよりも成績が良くなる」という80年代の教育心理学者ベンジャミン・ブルームの理論を元に、今まで家庭教師がやっていた個別指導をデジタル化すれば、さらに高い効果が出ることを謳っていた。

だが本当にそうだろうか。

実際ジョンズ・ホプキンス大学のロバート・スラビン教授のグループが複数の数学プロ

グラムを対象に調査した結果、確かに個別指導の方が優れている面もあるが、デジタルを使ったことによる大きな差は見られないことが明らかになった。

個別指導以上に重要な教師の役割とは、単にパソコン上で最適な問題を解くことよりも、「人としてのつながりや、生徒を褒め、励まし、上達を共に喜ぶこと」なのだと、スラビン教授は言う。

オンライン授業をボイコットした生徒たちは、マーク・ザッカーバーグに宛《あ》てた公開文書の中でこう訴えていた。

〈あなたのような金持ちの家の子供たちは、人間の教師から少人数制でオンラインの時間を最小限にした本物の授業を受けていますが、僕たち公立学校の生徒は何時間もオンライン学習をさせられています。

僕たちには批判的思考を身につけるための、仲間と対面しながらの討論や、生身の先生からのサポートや、クラスメイトたちと交流する時間が、ほとんどありません。

本当にこのオンライン学習に、広告で言われているほどの効果があるのでしょうか？

どうかこれについて、中立な機関による検証を実施してください〉

ビル・ゲイツは自分の子供たちに14歳までスマホやタブレットを持たせず、その後も食事中と家族でいる時は、電子機器の利用を禁止した。アップルの創業者スティーブ・ジョブズは娘たちにiPhoneもiPadも持たせなかった。グーグル幹部をはじめ、西海岸のテック企業幹部の子供たちが通う、シリコンバレーで一番人気のある学校「ウォルドルフ・スクール・オブ・ザ・ペニンシュラ」では、13歳より前の子供たちをテクノロジーに触れさせることを、以下の理由から許可していない。

〈デジタル機器の利用によって、子供の健康な身体、創造性と芸術性、規律と自制の習慣や、柔らかい頭と機敏な精神を十分に発達させる能力が妨げられるためです〉

その一方で、サンフランシスコで毎年開催される〈Habit Conference（人間の習慣に関する会議）〉では、彼らのようなテクノロジー企業や技術者が、どうしたら自社のアプリの中毒性を極限まで高められるかについて真剣に話し合う。その試みはしっかりと営業成績につながり、文字通り世界規模の大成功を収めている。

今や全世界の人口78億人のうち約12億人が1日に平均35分使っているフェイスブックが手に入れたのは、12億人の思想を形成する巨大な権力だ。

アメリカの10代の若者の2人に1人は常にネットを使っており、友達と遊ぶ時間や睡眠時間より多い平均9時間を、デジタル機器に費やしている。

タブレットを使った遠隔授業で教師から出る最も多い不満は、子供たちが授業中SNSやゲームをしながら、授業を聞いているふりをするのを止められないというものだ。

ハンガリーのブダペストにある高校で教えるウィル・コリンズ氏は、教室でのテクノロジーの使いすぎを、かつての米ソ冷戦にたとえて警鐘を鳴らしている。

「たとえオンライン授業が、教育が抱えるいくつかの現実的課題を解決するとしても、テクノロジーを教育の中心にするのは、かつて米ソがやり合った軍拡競争と同じですよ。確実に負けるのは学校側だ。いいですか、どれだけ優れた学習アプリが開発されたとしても、強迫観念に近い形で生徒たちを夢中にさせるよう設計されたSNSやゲームには、絶対に勝てるわけがありません」

脳科学の研究成果に、他者の行動やその意図を理解する「ミラーニューロン」という脳内神経細胞を機能させるには、実際に人と対面で会う必要があるというものがある。スクリーンやモニター画面を通して人と会ってもそれは画面で見ているだけなので、生物学的なメカニズムが作動しないのだ。共感力を育むことは、子供たちの人生と、大人になった彼らが作る、未来の日本を左右する大切な要素になる。

教育のデジタル化を進める際に、私たちはこのことを真剣に考える必要があるだろう。

子供たちをペニンシュラ校に通わせるシリコンバレーの保護者たちは知っているのだ。最高の教育とは、人と人、仲間との触れ合いが中心にある環境がもたらすこと、そしてそこになくてはならない存在が生身の〈優れた教師〉であることを。

情報の多様性を体で感じる――荒川区の学校図書館活性化計画

前述した言語脳科学者の酒井教授が言うように、一方的に流れてくる情報を受けとめるよりも、自分の手足を使って探した情報は、しっかりと記憶され脳を活性化する。たとえ生徒全員にタブレットを配布したとしても、大人たちの側がしっかりその基本を理解しているかどうかで、子供たちへの影響は天と地ほどに変わるだろう。

それを実践し成功させたのが、東京都荒川区の「学校図書館活性化計画」だ。

2005年に立ち上がったこの計画に沿って、荒川区では手始めにまず、学校図書館にある書籍の大半を入れ替えた。ここで教師たちに自分の授業で使う書籍を選ばせ、それを導入し、子供たちの「情報分析・収集する力」と「批判的思考」を育むために、図書館での授業をスタートするためだ。

また、司書の勤務日数を段階的に増やしてフルタイム勤務にし、子供たちがいつ図書館に行っても本を選ぶサポートをしてもらえる体制を整えた。

学校から支給される教科書を読むのとは違い、図書館には思いもよらない情報が溢れている。出典が曖昧《あいまい》な情報が多いネットと違い、図書館の本は校正をはじめ、多くのプロの手がかかっているという安心感が最大の強みだ。

また、キーワードを入れるだけで、情報の海の中から検索エンジンが選んでくれた答えがすぐに現れるグーグルのようなネット検索と違い、図書館は自分の身体全てを使いながら、紙媒体のリアルな情報が溢れる場所で答えを探しにゆく冒険だ。紙の本に触れ、一つ答えを見つけては、そこから生まれた新たな「なぜ?」について、仲間と意見を交わし合い、また身体を使って、再び本の森の中に答えを探しにゆく。

図書館にはタブレットも置いてあるが、タブレットだけにならないよう、あらかじめ本とタブレットの2グループに分け、その後入れ替えてどちらも体験させているという。

荒川区は決してデジタルテクノロジーに背を向けているわけではない。2013年時点で、一人につき一台のPCも配布済みだ。

だが荒川区教育センター学校図書館支援室長の清水隆彦氏は、ノートを取らずタブレットの情報を目で見るだけの知識は、次の情報が入るとすぐに上書きされてしまう、と指摘する。

「黒板、配布資料、そして効果的に視覚で見せるためにデジタルを使う。デジタル機器の導入は、あくまでも今までの積み重ねがあってこそのものなのです」

荒川区立第三中学校の小柴憲一校長は、朝の読書時間を設けたり、生徒たちに紙の新聞を読ませたりすることを重視していると語る。

「都合の良い箇所だけでなく全ての記事を読む習慣をつけさせるために、紙の新聞を読むことは非常に効果的な訓練になるからです」

商業サイトのビジネス性から、記事の質より閲覧数で価値が決まるネット記事は、センセーショナルなタイトルのものがより多く読まれ、クリックされないニュースはなかったことになる。その結果、感情を刺激する書き方をした、偏った情報に飲まれるリスクが常につきまとう。

一方、紙の新聞はその配置に新聞社の思想が出るものの、大きな記事も小さな記事も、その日社会で起こったことを満遍なく読むことができるのだ。

「デジタルも重要です。例えばリアルタイムの天気図や、感染症の最新データ、障害のある生徒のサポートツールとしてはとても役立つでしょう。でも第三中学校では、デジタルなしでも言語で理解し、生徒会や学級活動など、リアルな話し言葉で自分の考えを表現する力をつける活動をしています。そうした活動や図書館での調べ物の特徴は、必ず途中で疑問が出たり、わからなくなったりして壁にぶつかること。

ここで他の人の意見を聞いたり、そこからさらに調べながら前に進んでゆくことで、初めて知識は自分のものになってゆくのです」

待てないデジタルと、待つことの価値

マーク・ザッカーバーグはフェイスブックを作った理由を聞かれてこう言った。

「かつてネット検索で自分が大切にしている人を見つけた時に、その人とつながる方法がなくて、悔しい思いをしたからだ」

だが、皮肉にも彼の生み出したSNSは、人と人の間の本物のつながりを侵食している。承認欲求を満たす「いいね」ボタンや、増え続ける仮想空間の友人。思想的分裂がエスカレートして、私たちの真のつながりを作る力はすっかり弱められてしまった。

教室でもこれと同じことが起きるだろう。

それぞれが自分のタブレットを見て、たとえオンラインで同じ授業を受けていても、物

理的には一人一人の世界から、液晶画面に映るクラスメイトと交信していることになるからだ。

かつて教室で先生からリアルに授業を受けていた時、すぐ隣に障害のある子がいて、反対側にクラスの人気者がいて、その向こうに物静かな子がいる、というように、そこには立体的な多様性があった。

その中で教育を受けるのと、一人一人がオンラインのインストラクターからマンツーマンの教育を受けるのとでは、目に映る光景はまるで違うものになる。

オンライン教育は効率がいい。ついていける子だけで授業を受け、ついていけない子は別のオンライン教室に移せるからだ。

自分と同じスピードで進めない他者がいる時に、その存在を目の前から消して、別のオンライン教室に行ってしまえば、その人は自分の空間から消える。

そしてこう言われるのだ。

「先生も忙しくなり過ぎなくていいでしょう?」

クラスに計算がとても遅いT君という子がいた。毎回計算にすごく時間がかかるのだが、その間他の生徒は、いつも先生にこう言われて待たされていた。

「T君がまだ終わっていないから、みんなちょっと待っていて」と。

この時の「待つ」という体験に、これほど価値を感じる時が来るとは、あの時は思いもしなかった。

今の教育は先生だけでなく、親も待てなくなっている。

待てないからすぐに結果を求め、それを子供が出せないと、自分自身まで責めてしまう。

今、母親による虐待がニュースになると、SNSにはすぐに母親を責める声が溢れる。けれどそこで立ち止まり、「なぜそこまで追い詰められたのだろう?」と想像力を駆使してみると、別の思いが浮かんでくる。

他人に助けを求められず、すぐに結果を出せない自分を自分自身が待ってあげられず、焦るあまりに子供を虐待してしまったのかもしれない、と。

社会全体が待てなくなってきている。

スピードこそが価値を持つ世界の中で、私たちは「早くしないと置いていかれる」と急かされる。

デジタルが社会生活の中心になると、ますますそれに拍車がかかるだろう。

教室では、自分とは違う能力を持っている人がいる。でも計算が遅い子が、例えば図画の授業では自分や他の子よりも絵が上手かったりする。

だからそこで切り捨てず、「この子はこれが苦手だけど、それも一つの個性だね」と認めて待てる先生を作り出す環境を学校が与え、社会がそれを受け入れられるかどうか。

そうした「公教育の精神」とデジタルの間の溝や軋《きし》みが、これから次々に露呈してくるだろう。

今や公民館も図書館も、街の本屋もどんどん減って、多様な人が集まれる場所が次々に消えている。地域コミュニティも機能していないところが多く、子供だけでなく大人にとってのパブリックなプラットフォームまで、私たちは失いつつある。

色々な立場の、自分とは違う考えを持つ他者と同じ空間にいることが、自分だけでなく社会にとっても大切なのは、想像力を使って、他者に共感する訓練をせざるを得ないからだ。子供は「こいつ変な奴だな」と思っても、物理的に同じ空間にいることを受け入れる。それによって他者への想像力や、共感力、待たせることと許されること、それらを体験するうちに、いつしか海の向こうの見知らぬ誰かの痛みまで、心で感じる力が育まれてゆく。

フェイスブックでは、自分と違う意見の人がいると苛々《いらいら》するという。そして気づくといつの間にかそういう人は自分の「友達」からは消えている。いつも「いいね」と言ってくれる、自分と同じように考えている人だけが残るから心地よい。

心の栄養として、あってもいいと思う。だが、それによって私たちが失っているものは、自分と異なる価値観の他者と触れ合う場所なのだ。

SNSは「今世紀最大の大衆操作ツールだ」と表現するフェイスブックの創業者マーク・ザッカーバーグの言葉は正しいだろう。

思想を「タコツボ」化して囲い込むことができるからだ。それをある種の方向に向ければ、誰かを社会的に葬ることさえできてしまう。

フェイスブック、ツイッター、グーグルのビッグテック3社は、アメリカで選挙結果を誘導したことから司法委員会で厳しい追及を受けた。国家を超えるほどの巨大な権力を持つ企業のツールが、すべての教室に入ったらどうなるか。

私たちが何かを学ぶ時には、必ずしも一足飛びに正解に辿り着くわけではない。

何度も間違え、悔しい思いをしながら、ようやく辿り着くこともある。正解を出すことだけが目的ならば、おのずとスピード勝負になるだろう。

だが苦労して得た答えは、しっかりと身体に記憶され、時が経つと形を変えて、自分への信頼になってゆく。

それを同じ教室で共に経験したクラスメイトたちは、きっと忘れられない仲間になる。

タブレットは情報格差を見えなくする

元米国教育次官補のダイアン・ラヴィッチ氏は、オンライン教育の落とし穴は、情報格差が見えなくなることだと指摘する。

タブレットを配られた子供たちは、目の前に先生がいなくても「どうしてウサギの耳は長いのか?」と聞けば、Ｓｉｒｉもアレクサもグーグルも、すぐに答えてくれる。

だが、ここで子供たちは錯覚を起こす。

情報は24時間いつでもどこでも、どんな人に向かっても開かれている、と。目に見えなくても確実にこの世界に存在する、情報格差が見えなくなってしまうのだ。

それはインフラが整備されていない途上国や、独裁政権が支配するような自由のない国だけの話ではない。

例えば先のアメリカ大統領選で、民主党支持者がグーグル検索をすると「選挙に行きましょう。明日が投票日です」とポップアップが出たという。ところが共和党支持者が検索しても出ないため、共和党支持者の一部は選挙に行くのを忘れてしまったことが発覚し、このことがのちに議会で問題になった。

ビッグテックの手で意図的に操作され、作られた情報格差だったからだ。

デジタルでパッケージ化された教育システムや、13億人のAI教師の存在よりもっと大事なことは、情報は決して平等ではないし、万能でもないこと、便利なタブレットやネット回線を提供しているのが私企業であるという構造を子供たちにしっかり教えることだと、ラヴィッチ氏は言う。

教育改革は決して急いではいけない

そうは言ってもここ日本では、政治が企業に忖度だらけ、「今だけ金だけ自分だけ」にまっしぐらで、絶望的だという声がする。教育委員会は頭が固く、自治体は保身に走り、いじめも自殺も増える一方だという悪いイメージはなかなか消えてくれない。

その対極にあり、よく憧れの国として名前が上がる、創造性を軸にした教育をしながら、国際テストのスコアは高得点をあげている北欧の国フィンランドはどうだろう?

実はフィンランドの学力がかつてとても低かったことは、あまり知られていない。1970年代には、高等教育を受けた大人は人口の2割しかいなかった。ならば一体どうやって、世界から絶賛される教育システムを構築できたのか？

答えは大人たちが40年以上、ひたすら持ち続けた「子供たちの未来を善きものにしたい」という信念だ。

同国の教育学者、パシ・サールバーグ博士によると、フィンランドでは学力が低かった70年代以降、20回以上政権交代を繰り返し、30人の教育担当大臣が生まれては去っていった。だがその間40年以上に渡り、子供たちの未来に関わる「教育」についてだけは、与野党関係なく全政党が、同じ方向を向いて一致していたという。

〈教育は、この国の政治の最重要課題である〉

その間、世界中で教育をめぐるトレンドは変化した。

〈IQの高い生徒を集めて、集中的に能力を伸ばそう〉〈私立と公立を競争させよう〉〈成績の低いクラスの教師を公表しよう〉〈詰め込みがダメならゆとり教育だ〉等々、競争原理を導入したり、極力無駄を省いたり、短期で目に見える結果を出そうと、様々な試みがあちこちの教室で行われた。

だがフィンランドの政治家や行政職員は、決してこうした目先の政策に飛びつくことなく、ただひたすら〈国家の最優先課題〉として、教育の質を上げるための方法を、日夜考え、話し合い、少しずつ時間をかけて進めていった。

彼らは知っていたのだ。

教育を改革するためには、決して焦ってはいけないこと。時間をかけてタネをまき、ゆっくりと育ててゆく必要があることを。

アメリカや中国に後れをとるなと、デジタル技術だけ拙速に導入して、大切なことを見落とせば本末転倒だ。前述したように私たち大人ができることは「公教育」という公共空間の価値を認識すること、そこに入る私企業が子供たちの未来や人権を脅かさないよう、法の力でしっかり線引きをすることだ。

特区やスーパーシティを中心に、これから確実に増えてゆくであろう公設民営学校には、特に注意が必要だろう。コロナ禍のデジタル化とタイミングを合わせて市場拡大を狙う外資系教育ビジネスが、法律に縛られない両地域に確実に参入してくるからだ。80年代以降「教育改革」の名の下にターゲットにされ、デジタル化を通して解体の最終仕上げをされそうになっているアメリカ公教育の近現代史には、多くのヒントが隠されている。

この先長期にわたりビジネスチャンスをもたらす、マイナンバーと紐づけられた子供たちの学習履歴が、国内外の教育ビジネスに流れないよう注意しなければならない。子供たちの個人情報を守れるのは、私たち大人の強い意思と、立法府や自治体の心ある議員たちの連携になる。そして何よりも大事なのは、当事者である子供たちと、この世界を動かしているものの存在について、対話の時間を持つことだ。

ビッグテック企業は、今、途方もない権力を持っている。

私たちは自分で選んでいるつもりで、実は思想を形成されながら生きている。大人ならばそれに気づけるが、生まれた時からスマホがあり、便利な世界で生きるデジタル世代がその違いに気づくのは難しい。

ＧＡＦＡがトップに君臨するこの世界は、これからますます快適になり、よりスマート化していくだろう。その中で私たちが子供に教えられることがあるとしたら、いかにＧＡＦＡの中で快適に生きるかではなく、「ＧＡＦＡの外にも世界がある」という真実だ。

ＧＡＦＡの外にも世界は存在する。

ＧＡＦＡの中で評価されない人が評価される世界がある。

未来の選択肢は無限にあるということを、子供たちに教えなければならない。

「デジタル・ファシズム」の中で、最もファシズム化していく分野は教育だからだ。

それは長期にわたって人間の思想を形成し、最も洗練された形で、国家と、そこに住む人間の力を削いでゆく。

テクノロジーは使い方を間違えると、私たちに多様な考え方をさせる代わりに、自らの想像力の範囲を狭めてしまう。

足元で何が起きているのかを、心の眼でしっかり見なければならない。

倫理を持たないＡＩ vs. 未来を選ぶ私たち

ＡＩは、問いをくれない。くれるのは答えだけ。もし人間から「問う力」がなくなれば、「考える力」も失ってしまうだろう。

人間にとって大事なのは、「問う」ことなのだ。

ニュースを見ても、人と会っても、季節の移り変わりを見ても、「なぜ？」「どうして？」と好奇心を持ち、問いを口に出すことで、目に映る世界は大きく、広く、深まっていく。

問いがあるから、自分で考え、知らなかった答えに出会うことができる。

ドイツの哲学者マルクス・ガブリエルはこう言った。

「AIには倫理がない。だから絶対にAIが人間に教えることはないと信じたい」

肉体がなく決して死なないAIには、倫理観がない。

なぜなら倫理観とは、死を迎えるからこそ持てるものだからだ。

倫理観や哲学は、人間が内側の世界を深めたり、それによって見ている世界を大きく拡げたり、間違った方向に暴走しようとした時、私たちが人間らしさを失わないために、原点に戻って踏みとどまるための羅針盤になる。

教育のデジタル化の本質は、どれだけ世界に追いつくかでも、技術がどれほど進化しているかでもない。

デジタル世代の子供たちが高速の世界に生きる今、私たち大人ができることは、周りが猛スピードで進む中、あえて立ちどまり、テクノロジーと教育の関係を、もう一度じっくり考え直すことだろう。

教員が人間的な業務により時間を割けるようにと、日常的な実務を補佐するはずだったテクノロジーが、いつの間にか教員を傍《はた》に追いやっていること。パンデミックが起きた時、教員を増やし、屋外での授業を増やすのでなく、なぜ初めからデジタル一択しか選択肢が与えられなかったのか。

これらは今世界のあちこちで、政府が答えることをしなかった、教員たちからの疑問の声だ。

文部科学省が公式ウェブサイトに公開している、人間の身体の一部をコンピューターに置き換えて究極の効率化を図る「ムーンショット目標」は、本当に私たちが望む未来なのだろうか。人間の教師が適切な質問をしたり、肩に手を置いて励ましたり、生徒の気持ちを理解したりする代わりに、機械に教えられるだけでなく、子供たち自身が機械になってゆくような世界では、もはや学校という存在は必要なくなるだろう。

私たちがデジタル化しようとしているのは、モノではない。

「公教育」という、人間が発明した最高に貴い宝物なのだ。

なのになぜ、その技術やプラットフォームを提供する民間企業にだけ、私企業としていくつもの抜け道が用意されているのだろう?

どんなに最新技術であっても、「公教育の精神」が失われ、ただの「商品」になり下がれば、子供たちの未来は守れない。

「公教育」に参入する以上、GAFAや楽天にも他の公共セクターと同じ条件で、〈透明性〉〈公平性〉〈説明責任〉〈憲法の順守〉を課すべきだろう。子供たちのプラットフォームやネットワーク接続という、国家にとって非常に重要なインフラを任せる相手が、自国でさえも規制しきれない外国の巨大民間企業で本当にいいのかどうか。

もし今、他に選択肢がないのなら、少なくともそれらを民主化する方向に進める必要がある。なぜなら今やGAFAが奪うのは単なる個人情報やプライバシーではない。

私たちが自分で自分の行動を決める「未来を選択する権利」だからだ。

真の危機はコンピューターが人間のような頭脳を持ってしまうことよりも、人間がコンピューターのように考え始めた時にやってくる。

デジタル・ファシズムを阻止する唯一の方法は、私たちがより人間らしくなることなのだ。

エピローグ

世界経済フォーラムが出版した『2030年の世界へようこそ』の中で、デンマークのイダ・オーケン元環境相は、やがて来るデジタル新世界をこんなふうに描いている。

そこでは食べものがタダで手に入り、移動は無料で家賃もない、生きるために必要なものには全て無料でアクセスできる。AIで制御された自動運転の電気自動車から見る街は埃《ほこり》ひとつなく清潔で、大気汚染などの環境破壊も全て過去のものだ。

もう苦労して、生活のために稼がなくていい。ベーシックインカムが保証されているからだ。全国民に毎月定額が振り込まれるので、格差も貧困も失業もない。信用スコアと連動したキャッシュレス決済で、全ての移動履歴と購買記録が追跡・管理されており、不審な言動は事前に制御され、いじめも犯罪も社会不安も一掃されている。

人間は弱い。不安や迷いで道を誤り、他人を羨み、足を引っ張り、権力を握れば腐敗する。欲望のままに大量生産・大量消費を繰り返し、行き着くところは人口爆発と地球環境の破壊だ。だから地球を再生させるために、全てをデジタルで管理する。人間が持つ不適切な感情も、行動を起こす前の段階で、芽のうちに取り除いてしまえばいい。

同フォーラムのクラウス・シュワブ会長によると、AIが進化した今、警察や法の執行機関は、個人の犯罪行為の可能性や罪悪感を評価するために、脳から直接記憶を得る技術を使うことができるという。ジョギング中に付けるアップルウォッチのように、心拍数や脳波を読み取る粉塵サイズのナノチップを人々が身体に埋め込むことは、遠からず日常の一部になるからだ。

すごい時代になったと思う。

彼らが決して口にしない、そのデジタルを動かすのは一体誰なのか？　という、たった一つの疑問を除いては。

世界経済フォーラムが目指す新世界の軸である「ステークホルダー資本主義」は、GAFAと私たち一般ユーザーの間に横たわる「情報の非対称性」を強力に固定化し、古今東西の為政者が一度は夢見るユートピア〈デジタル・ファシズム〉を完成させるだろう。

だが一方で、これとは別の、新しい動きも始まっている。

2018年5月25日。

EUでは、個人情報の保護を「基本的人権」とみなして保護する、一般データ保護規制(GDPR)が施行された。これによって、今後プライバシーに関する個人情報の転送や利用には、厳しい規制がかけられることになる。今後企業は、ユーザーの氏名、住所、IPアドレス、位置情報、ウェブやアプリの利用履歴などを取得する際、その理由とデータの利用方法を明確にしなければならない。一方ユーザー側は、企業が集めた自分の個人データにアクセスする権利、不正確な情報を修正したり削除したりする権利、そしてアルゴリズムが出した決定を制限する権利を手に入れた。

違反した企業には前年度売り上げの最大4%が罰金として科され、自国企業にこのルールを適用していない国は、EU加盟国に欧州3カ国を加えた31カ国との自由な貿易ができなくなる。

それまでほぼ無法地帯だったネット空間に、強い法的拘束力でプライバシー保護を導入するこの法律は、世界中の企業のみならず、それまで独裁者のように振る舞い、世界中から吸い上げた個人データで荒稼ぎをしてきたGAFAにとって痛恨の一撃だった。

グーグルとフェイスブックは同法の解釈をねじ曲げ、「嫌ならサービスの利用をやめれば良い」という逆ギレの姿勢をとったが、人権重視のEUに脅しは効かず、2019年1月にはフランス当局が、GDPR違反のかどでグーグルに62億円の制裁金を科している。

GDPRは潮目を変えた。ワシントンD.C.とカリフォルニア州では同様の規制法が導入され、ドイツでは違法コンテンツを24時間以内に削除しない場合、プラットフォーム側に罰金を科す。データを収集した企業側でなく、データを提供した個人に所有権を与える「デジタル権利法」を提案する動きも出てきている。

「おかしい」と口に出すたった一人の声が、多くの人が絶対に変えられないと思いこんでいることを変えるのだ。こうした権利は、それを行使する人が増えれば増えるほど力を増してゆく。私たち市民はしばしば、巨大化した企業を前に無力感を感じるが、透明性を高めることが利益に結びつくとわかれば、企業は方向性を変えることを厭《いと》わない。信頼が深まれば個人情報を預ける不安も払拭され、そういう企業に投資が集まることで、業界の空気も変わり始める。どんなにささやかに思えたとしても、私たち消費者の取る行動は、水に投げた小石が幾重にも輪を広げるように、必ず社会を変えるのだ。

政治不信が強い日本では、AIが国を治めるべきだという声がついに一部から出始めた。権力欲や嘘のないＡＩの政治判断なら、間違いがないはずだという。

この夏の東京オリンピックをめぐるニュースを見ていると、純粋に努力を重ねてきた選手たちとは対照的に、私利私欲で動く政治家や大会関係者、そこに群がり国を売る政商たちの体たらくにうんざりさせられる。忖度も改竄《かいざん》も「記憶にございません」もないＡＩに政治を任せてしまえたら、どんなに楽かもしれないと思う。

だが、90年代まで普通選挙による民主主義がなかった台湾が、6年かけて国民の政治への関心を高めたように、デジタル技術を透明性の確保と知識のオープン化に使うことで、国民の政治への信頼を、少しずつ育ててゆく方法もある。

人間は権力を持つと腐敗するという「性悪説」をもとにデジタル政府を設計し直したエストニアは、政府と国民の間の開かれた正直な関係を作ることに成功した。

会津若松市のデジタル化を手がけた中村彰二朗氏が、街づくりの重要要素として挙げる「三方よし」（売り手、買い手、社会の3つを満足させること）は、日本を支えてきた中小企業がずっと根底に置いてきた、かけがえのない共生の精神だ。

それが今後ビジネスの論理に飲み込まれてしまわぬよう、私たち日本人の出せる知恵は、まだまだたくさんあるはずだ。

この本を世に出すために国内外で協力してくれた多くの人々と、活字文化議連、学校図書館議連、活字の学びを考える懇談会に、この場を借りて感謝を捧げます。「10年後、20年後も色褪《あ》せない本を世に出しましょう」と、山あり谷ありだったにもかかわらず、連日寝ないで懸命に併走してくれたNHK出版の田中遼氏と関係者の皆様には、感謝してもしきれません。

いつも信じて支えてくれる夫と家族、全力でサポートしてくれるスタッフたち、言葉がなくても通じ合う、2匹の愛猫たち。自分に正直に生きることの大切さと、書き続けることを激励してくれる、ブラインドスポットの平塚千栄社長。

正しい答えを早く出すよりも「問うことの価値」を教えてくれた、和光学園の先生たちと、私をあの学校に入れてくれた、今は空から見守ってくれている、愛する両親にも。

スマホで検索すれば、考えずともすぐに「答え」が手に入る。「何てつまらない時代になったのだろう」と思います。

その便利さに慣れてしまった私たち人間は、いつしか色々なことを待てなくなってしまいました。

誰もが他人にも自分にもすぐに×をつけるスピード重視の社会の中で、ふと前に進むのが苦しくなると、私はいつも心の中で、あの教室に戻るのです。

わからないと素直に口にでき、間違えることを恐れなくていい。待っていてあげさえすれば、まかれた種が、その子にとって一番必要な時期に必ず花開くのだと、心から信じてくれる大人がいた、かけがえのないあの場所に。

あの時もらった「深く考える力」と「想像力」は、私の人生にとって最高の宝物になりました。

どれだけAIが発達し、情報処理のスピードと量で圧倒しても、無限の可能性を持つ未来に向かって問い続けることは、人間にしかできないからです。

最後に、この本を手に取ってくれた貴方と、未来を選ぶ自由を決して手放さないと決めた世界中の仲間たちへ、心からの愛と、ありがとうを込めて。

堤　未果

2021年8月5日

参考文献

・行政情報システム研究所「デジタル庁設置法案の要点」（内閣官房ＩＴ総合戦略室）二〇二一年四月一五日
・日本経済団体連合会（２０１９ａ）「投資関連協定に関する提言」二〇一九年一〇月一五日
・日本経済団体連合会（２０１９ｂ）「Society 5.0の実現に向けた個人データ保護と活用のあり方」二〇一九年一〇月一五日
・齋藤雅弘、池本誠司、石戸谷豊『特定商取引法ハンドブック〔第六版〕』日本評論社、二〇一九年
・デイリー法学選書編修委員会編『事業者必携！　特定商取引法と消費者取引の法律知識』三省堂、二〇二〇年
・第二東京弁護士会　情報公開・個人情報保護委員会編『令和2年改正　個人情報保護法の実務対応――Ｑ＆Ａと事例――』新日本法規、二〇二一年
・道路交通執務研究会編著、野下文生原著『18訂版　執務資料　道路交通法解説』東京法令出版、二〇二〇年
・竹中平蔵『ポストコロナの「日本改造計画」――デジタル資本主義で強者となるビジョン』ＰＨＰ研究所、二〇二〇年
・松本徹三『ＡＩが神になる日――シンギュラリティーが人類を救う』ＳＢクリエイティブ、二〇一七年
・西村友作『キャッシュレス国家――「中国新経済」の光と影』文春新書、二〇一九年
・塩野誠『デジタルテクノロジーと国際政治の力学』NewsPicksパブリッシング、二〇二〇年
・岩田昭男『キャッシュレス覇権戦争』ＮＨＫ出版新書、二〇一九年
・オードリー・タン『オードリー・タン　デジタルとＡＩの未来を語る』プレジデント社、二〇二〇年
・浜中慎太郎「アジアインフラ投資銀行（ＡＩＩＢ）の比較研究」『アジ研ポリシー・ブリーフ』（No.73）日本貿易振興機構　アジア経済研究所、二〇一六年
・酒井邦嘉『脳を創る読書――なぜ「紙の本」が人にとって必要なのか』実業之日本社、二〇一一年
・浜中慎太郎（２０１９ａ）「インドのＲＣＥＰ撤退がアジア経済秩序に及ぼす影響――地経学的観点から」『ＩＤＥスクエア』日本貿易振興機構　アジア経済研究所、二〇一九年

・石戸奈々子『日本のオンライン教育最前線――アフターコロナの学びを考える』明石書店、二〇二〇年
・宮居雅宣『決済サービスとキャッシュレス社会の本質』きんざい、二〇二〇年
・ピーター・ディアマンディス、スティーブン・コトラー『2030年 すべてが「加速」する世界に備えよ』NewsPicksパブリッシング、二〇二〇年
・堤未果『社会の真実の見つけかた』岩波ジュニア新書、二〇一一年
・馬田隆明『未来を実装する――テクノロジーで社会を変革する4つの原則』英知出版、二〇二一年
・海老原城一、中村彰二朗『Smart City 5.0 地方創生を加速する都市OS』インプレス、二〇一九年
・浜中慎太郎（2019b）「イギリスのEU離脱の根底にある理由」『アジ研ポリシー・ブリーフ』（№119）日本貿易振興機構 アジア経済研究所、二〇一九年
・吉浦周平「内閣府スーパーシティ特別区域指定に関する動向」PWC、二〇二一年四月二七日、https://www.pwc.com/jp/ja/knowledge/column/smartcity/vol31.html
・文部科学省「ムーンショット目標1」二〇二〇年二月、https://www8.cao.go.jp/cstp/moonshot/concept1.pdf
・内閣府「ムーンショット型研究開発制度の運用・評価指針（ムーンショット目標1〜6）」二〇二〇年二月四日、https://www8.cao.go.jp/cstp/moonshot/shishin.html
・Pasi Sahlberg, Howard Gardner, et al., *Finnish Lessons 3.0: What Can the World Learn from Educational Change in Finland?* (English Edition), Teachers College Press, Jan 22, 2021.
・Klaus Schwab, Thierry Malleret, *COVID-19: The Great Reset* (English Edition), Forum Publishing: , Jul 9, 2020.
・Klaus Schwab, *The Fourth Industrial Revolution* (English Edition), Portfolio Penguin, Jan 3, 2017.
・Klaus Schwab, Satya Nadella, et al., *Shaping the Future of the Fourth Industrial Revolution* (English Edition), Penguin Books, Nov 6, 2018.
・Mark Jr., *Libra Facebook Global Coin Cryptocurrency Complete Everything You Need To Know: Facebook's Libra Crypto Guarantee Stability and adaptation to the cost. Libra Crypto investing in crypto currency* (English Edi-

tion), Jun 23, 2019.
・DR. Marcus Eindhoven, *Facebooks Libra: Financial Freedom.: 12 Key Takeaways About Libra* (English Edition), Jul 18, 2019.
・Daniel Burgos, Jako Olivier, *Radical Solutions for Education in Africa: Open Education and Self-directed Learning in the Continent*, Lecture Notes in Educational Technology, Springer, Sep 3, 2021.
・Leketi Makalela, Goodith White, *Rethinking Language Use in Digital Africa: Technology and Communication in Sub-saharan Africa* : New Perspectives on Language and Education, Multilingual Matters, Jun 30, 2021.
・Mr. Sidiki Traore, Dr Kristin Palmer, et al., *Distance Education For Africa: Using a Proven Distance Education Model to Create Lasting Economic Impact*, Independently published, Dec 21, 2020.
・Philippines Editorial DataGroup, *Electricity Philippines Summary: 2021 Economic Recovery Impact on Revenues & Financials* (English Edition), Feb 5, 2021.
・Philippines Editorial DataGroup, *Electricity Distribution Philippines Summary: 2020 Economic Crisis Impact on Revenues & Financials* (English Edition), Dec 8, 2020.
・Violaines Champetier de Ribes, Jean Spiri, *The Full Digital Nation: Estonia: a break in the GAFAM wall*, Cent Mille Milliards, Jan 23, 2020.
・Alex Benay, *Government Digital: The Quest to Regain Public Trust*, Dundurn, Oct 9, 2018.
・Richard Turrin, *Cashless: China's Digital Currency Revolution*, Apr 19, 2021.
・Douglas N. Harris, *Charter School City: What the End of Traditional Public Schools in New Orleans Means for American Education,* Jul 15, 2020.
・Thomas Sowell, *Charter Schools and Their Enemies*, Kindle Edition
・Edward Marteson, *Real ID 2020: Learning the Essentials*,May 10, 2020.
・Elliot Zaret, "Can Google's Search Engine Find Profits?", *ZDNet*, June 14, 1999., https://www.zdnet.com/article/

can-googles-search-engine-find-profits/

· Machine Intelligence, Google Research, https://research.google/pubs/?area=machine-intelligence

· Kenneth Cukier, "Data, data everywhere", *Economist*, February 27. 2010., https://www.economist.com/special-report/2010/02/27/data-data-everywhere

· "Google Receives $25 Million in Equity Funding", Google, News From Google, June 7, 1999., http://googlepress.blogspot.com/1999/06/google-receives-25-million-in-equity.html

· Hal R. Varian, "Big Data: Big Data: New Tricks for Econometrics", *Journal of Economic Perspectives*, American Economic Association, vol. 28, no. 2, Spring 2014., https://www.aeaweb.org/articles?id=10.1257/jep.28.2.3

· "NEC Selects Google to Provide Search Services on Japan's Leading BIGLOBE Portal Site, Google", News From Google, December 18, 2000., https://googlepress.blogspot.com/2000/12/nec-selects-google-to-provide-search.html

· "Yahoo! Selects Google As Its Default Search Engine Provider", Google, News From Google, June 26, 2000., http://googlepress.blogspot.com/2000/06/yahoo-selects-google-as-its-default.html

· Lucie Greene, *Silicon States: The Power and Politics of Big Tech and What It Means for Our Future*, Counterpoint Press, August 21, 2018.

· Kent Greenfield, *Corporations Are People Too: (And They Should Act Like It)*, Y Yale University Press, October 23, 2018.

· Maurice E. Stucke, Allen P. Grunes, *Big Data and Competition Policy*, Oxford University Press, August 2, 2016.

· Scott Hartley, *The Fuzzy and the Techie: Why the Liberal Arts Will Rule the Digital World*, Houghton Mifflin Harcourt, April 25. 2017.

· Jonathan Haskel, Stian Westlake, *Capitalism Without Capital: The Rise of the Intangible Economy*, Princeton University Press, November 28, 2017.

· William H. Janeway, *Doing Capitalism in the Innovation Economy: Markets, Speculation and the State*, Cam-

bridge University Press, October 8, 2012.
・Alex Moazed, Nicholas L. Johnson, *Modern Monopolies: What It Takes to Dominate the 21st-Century Economy*, St. Martin's Press, May 31, 2016.
・David Kaye, *Speech Police: The Global Struggle to Govern the Internet*, Columbia Global Reports, June 3, 2019.
・Jaron Lanier, *Who Owns the Future?*, Simon & Schuster, March 4, 2014.
・Jaron Lanier, *You Are Not a Gadget: A Manifesto*, Penguin Random House, February 8, 2011.
・Roger McNamee, Zucked: Waking Up to the Facebook Catastrophe, HarperCollins Publishers Ltd, February 7, 2019.
・Mancur Olson, *The Rise and Decline of Nations: Economic Growth, Stagflation, and Social Rigidities*, Yale University Press, September 10, 1982.
・Cathy O'Neil, *Weapons of Math Destruction: How Big Data Increases Inequality and Threatens Democracy*, Crown, September 6, 2016.
・Frank Pasquale, *The Black Box Society: The Secret Algorithms That Control Money and Information*, Harvard University Press, January 5, 2015.
・Eric A. Posner, E. Glen Weyl, *Radical Markets: Uprooting Capitalism and Democracy for a Just Society*, Princeton University Press, May 15, 2018.
・Jonathan Taplin, *Move Fast and Break Things: How Facebook, Google and Amazon Have Cornered Culture and Undermined Democracy*, Little, Brown, April 18, 2017.
・Gerald F. Davis, "After the Corporation", *Politics & Society*, Vol.41, Issue 2, June, 2013, pp. 283-308.
・Juta Kawalerowicz, Michael Biggs, "Anarchy in the UK: Economic Deprivation, Social Disorganization, and Political Grievances in the London Riot of 2011", *Social Forces*, Oxford University Press, Volume 94, Issue 2, December 2015, pp. 673–698.

編集協力　福田光一
校閲　円水社
金子亜衣
イラスト　福田玲子
図版作成　手塚貴子
DTP　佐藤裕久

堤 未果 つつみ・みか
国際ジャーナリスト。東京生まれ。
ニューヨーク州立大学国際関係論学科卒、
ニューヨーク市立大学大学院国際関係論学科修士号。
国連、米国野村證券などを経て現職。
『報道が教えてくれないアメリカ弱者革命』で
黒田清・日本ジャーナリスト会議新人賞を受賞。
『ルポ 貧困大国アメリカ』で日本エッセイストクラブ賞、
中央公論新書大賞を受賞。
その他著作に『沈みゆく大国アメリカ』(二部作、集英社新書)、
『政府は必ず嘘をつく』(二部作、角川新書)、
『日本が売られる』(幻冬舎新書)、
『社会の真実の見つけかた』(岩波ジュニア新書)など多数。

NHK出版新書 655

デジタル・ファシズム
日本の資産と主権が消える

2021年 8 月30日 第1刷発行
2021年11月30日 第5刷発行

著者 堤 未果 ©2021 Tsutsumi Mika
発行者 土井成紀
発行所 NHK出版
〒150-8081 東京都渋谷区宇田川町41-1
電話 (0570) 009-321(問い合わせ) (0570) 000-321(注文)
https://www.nhk-book.co.jp (ホームページ)
振替 00110-1-49701

ブックデザイン albireo
印刷 壮光舎印刷・近代美術
製本 二葉製本

Printed in Japan ISBN978-4-14-088655-7 C0236

NHK出版新書好評既刊